ちくま文庫

女将さん酒場

山田真由美

筑摩書房

『女将さん酒場』目次

装丁　緒方修一

ひとりの「覚悟」

林佐和

『やくみや』荒木町

東京で、十年

東京ほど時のふるいが厳しい場所はない。

新しい流行がつぎつぎと生まれ、まちの印象を変えてしまうほど店の新陳代謝も激しい。飲食の世界では、東京で十年続く店は一割に満たないともいわれ、新しい店ができたと思ったらいつのまにか別の店になっていた、なんてことはざらだ。

「この先十年以上通える店をもつのは、もう無理かもしれない」

二十歳年の離れた先輩は、何十年と通ったなじみの店がひとつ、またひとつと消えていくのを嘆き、そうつぶやいた。ようやく新たな気に入りを見つけても、五年ともたずに店をたたんでしまうのだという。

もちろん、風化や忘却といった時の試練に耐え、十年、二十年と続いている店はある。でも、先輩が言うように「通い続けたい店」があるかどうかはまた別の話だ。通ううちに、どこかで違和感を覚え、足が遠のく場合もあるし、店と客の相性が合わなくなって離れていくこともある。同じ店であっても、方針が変わったりひとの出入りがあったりと、取り巻く環境は変わっていくものなのだ。そう考えると、東京で十年、店が在り続けるのは困難に違いないが、でもそれ以上に、十年通い続ける店があるということのほうが奇跡なのかもしれない。

先輩の憂いに耳を傾けながら、私はひとりの女性の店を思い浮かべていた。

荒木町『やくみや』。だしのふくよかな香りと、どの料理にもたっぷりの薬味が添えられる和食が魅力のこの店に通い始めて十年以上になる。「ひとりの」といったが、数年前までは「ふたりの」女性の店だった。

現店主の林佐和さんとIさん。林さんは「エコール・キュリネール（現・エコール辻東京）」で日本料理を学び、割烹や居酒屋などで修業を重ねた料理人。Iさんはワインソムリエと利き酒師、焼酎アドバイザーの資格をもつ、お酒と接客のプロ。季節そのものを味わうような林さんの繊細な料理に、Iさんが選んでくれるお酒がぴたりと寄り添い、食べること、飲むことに夢中になった。

おっとりと穏やかな料理人と、意思の強いハッキリした物言いが小気味よいサービス。対照的なふたりだからこそ生まれる、相乗的なコンビネーションがここにはあり、そのライブ感を楽しみに通う客も多かった。

出会いはゴールデン街

荒木町『やくみや』のオープンは二〇〇七年十一月なのだが、その前身はさらに遡ること五年。新宿ゴールデン街にあった。

料理人として一〇軒以上の現場で六年の経験を積んだのち、三十一歳で自分の店を開いた林さん。狭小なバーやスナックが雑多にひしめくゴールデン街の物件を見たとき、三坪に満たない小さな空間に興奮したという。

「この狭さが逆に自由なことができそうだと思って。こんな場所で、きちんとした和食が出てきたらきっとみんな驚く。想像するとワクワクしました」

そもそも飲食を仕事にするつもりはなかった。大学は法学部。卒業したら普通に就職しようと漠然と考えていた。転機が訪れたのは大学三年のとき。千葉の幕張で懐石料理店を営んでいた母親が急逝。長女の林さんが食事をつくるようになった。家族のためのごはんが、彼女の料理に対する意識を芽生えさせる。

「朝、目が覚めると、まず浮かぶのが今夜は何をつくろうかということ。梅雨の湿気がうっとうしければ、酢の物を加えようとか、キンと冷えた冬の空気を頬に感じれば、ほうれん草と豚バラ肉でお鍋にしようとか。主菜が決まれば、副菜をどうするか。副菜が先に浮かんだら、メインはどうしようとか。あれこれ考えるのが好きだったし、おいしくなる方法を編み出すのはもっと楽しかった」

料理の創造性に目覚めた娘の料理を、父はいつもだまって満足そうに食べてくれた。

「母の料理とは比べものにならないしろものだったと思います。高級な懐石料理で、毎日、三〇席が二回転する繁盛店を切り盛りしていたひとですから。でも、料理の面白さも、やりがいも知ることができたのはこのとき。あの経験がなかったら私は料理の道に進んでいなかったかもしれません」

店の名前は、ずいぶん前から『やくみや』と決めていた。

「薬味が大好きなんです。お店でお刺身の脇に申し訳程度にのった大根のつまや、ねぎなしのもつ煮込みなんかを出されると、家にすっ飛んで帰って薬味持参で思う存分食べたい衝動に駆られた。自分がやるときには、たっぷりの薬味でいろんな料理を楽しんでもらえる店にしようって」

営業時間は十八時から二十四時まで。コンセプトは、きちんと手をかけた和食が食べられることと、もちろん薬味たっぷりであること。二〇〇三年、ゴールデン街に『やくみや』の看板を掲げるやいなや、夜の歓楽街のイメージが強い場所で、おいしいごはんが食べられると評判に。六席の店内は、林さんのごはんを求めて集まる客でいつもぎゅうぎゅう詰めの満席だった。

『やくみや』ファンのなかに、Iさんがいた。医療の現場で献心的に患者に寄り添っていた彼女にとって、林さんの料理は栄養剤みたいなものだったのかもしれない。

店の人気は上がる一方。ひとりでやる限界を感じていたとき、Iさんの存在に目が止まる。常連だった彼女は、林さんが忙しくなると機転を利かせて手を貸してくれたり、女性に声をかけてくるような馴れ馴れしい男性客をあしらうのも上手だった。ひとつ年下で感覚も近い彼女とならいっしょにやれるのでは。そう思い至ると、目の前でお酒を飲んでいたIさんに声をかけていた。

「できるときだけで構わないので、店を手伝ってもらえないかな」

最初は月に一度ぐらいだったのが、店の忙しさに合わせてバイトに入る機会が増え、とうとう本業を辞めて『やくみや』一本で働くことに。そのいきさつをIさん本人から聞いたとき、私は尋ねずにはいられなかった。水ものの飲食業はいまがよくても明日どうなるかわからない。安定した収入がなくなることに不安はなかったの、と。すると彼女は迷いのない瞳で即答した。

「さわちゃんの料理があれば、やっていけると思った」

なじみ客もしっかりついていたし、ゴールデン街の狭くて簡単な設備しかないとこ間で、仕事やあれこれの熱を鎮静するひとりの時間を大切にしたかったのだ。同性で同世代という親しみもあって、彼女たちとは友人のように接することができた。思えば、〝ひとり飲み〟の楽しみを覚えたのは、この店が最初だった。

ぶれない芯

その後、私は出版社を辞めて独立。東京でなくとも編集やライターの仕事はできると、鎌倉へ移り住んだ。以前のように週イチとはいかなくなったが、都内での仕事があるときは、古くからの友人に会いに行くような気持ちで、『やくみや』のカウンター席に座らせてもらった。久しぶりに訪れても、いつものようにふるまってくれるふたりが頼もしかった。

自分の環境が変わっても、『やくみや』はずっと変わらずに在る。そう信じていたのは、そうあってほしいと願う客側の楽観だった。

二〇一六年五月。林さんの料理に惚れ込み、約九年にわたり彼女をサポートし続けてきたIさんが『やくみや』を去った。

本人から「やくみやを卒業することになりました」というメールをもらい、私はショックを受けた。性格の違うふたりだったけれど、だからこそお互いを尊重していたように見えていたからだ。でも、確かめるようにすぐに再訪すると、待っていたのは林さんひとりだった。

方向性の相違。簡単にそう片づけられないいろいろがふたりの間にはあったのだと思う。本当のことはわからない。ただ、どんなに最良のパートナーだったとしても、すべて同じ想いでいられる相手はいない。人格も価値観も異なる別の人間だからだ。その違いを受け入れ、むしろ味方につけていられたふたりが、あるときからそれが苦痛になってしまった……。そういうことだったのではないだろうか。

いつもはふたりだった厨房。この日は、やけに広く感じた。

センチメンタルな客をよそに、林さんは前を向いていた。ひとりでやっていくと決め、ワンオペレーションを可能にする工夫を考える。基本は七席のカウンターのみにし、予約にかぎり四人以上のグループ客を受け入れる体制に。メニュー数も絞った。スタイルが変わって、離れていった客もいる。でも、店主はそれも仕方のないことと淡々と受け止めた。

「ひとには好みがありますから、気に入らなければ来なくなるのは当然。大事なのは自分がぶれないこと。私は一部の常連さんだけが居心地のいい店にはしたくない。みんなに等しく、『やくみや』を楽しんでもらいたいんです」

ぶれない芯をもつ――。それは、入れ替わりの激しい東京で勝負する飲食人にとって、たやすいことではない。客数が減ると不安から流行りものに飛びついたり、シビアな原価で凌ごうとしたりする。彼女は違う。客数で一喜一憂はしなかった。まがりなりにもこの道で十年以上やってきたのだ。やるべきこと、やってはいけないことを体で感じ取っていたに違いない。

これまで『やくみや』には二度、大きな試練があった。最初は、遡ること二〇一一年三月、東日本大震災が起きたあとの約一年間。客足が減り、入っている店は低価格の居酒屋チェーンや立ち飲みばかり。それまで、顔を上げる余裕もなく料理をつくっていた林さんは「忙しさにかまけて、お客さまと向き合うことを怠っていた」と省みる。しばらくは静かな日が続くことが多かったが、そのぶん、客の気持ちや状態を汲み取ろうと意識するようになった。

以前からひとり客には量をハーフサイズに調整してくれたり、半合から日本酒を頼めたりときめ細やかなサービスがこの店にはあったが、震災以後、さらに進化した。苦手なものを別の食材に差し替えたり、体調がすぐれない客にはメニューにないものでも滋養になりそうな食事を用意してあげたり。「できることなら可能な限りお応えしたい」。当時の彼女の言葉だ。

オーダーメイドごはん

それから四年後。二人三脚で店をつくってきたパートナーを失った。それが二度めの試練。より大きな打撃に違いなかったが、林さんは立ち止まらなかった。むしろ、「お客さまひとりひとりの要望に個別に応える」という、これまでも心がけてきたサービスをさらに深化させようと努めた。

「最近、とっても好評なんです」と、見せてくれたスマホの画面にはヤリイカのフリットやパプリカがのった土鍋ごはんの写真があった。変わり種のトッピングのサービスかと思いきや、宝塚の演目『カサノヴァ』をイメージしたオーダーメイドの土鍋ごはんなのだという。

宝塚ファンでもある林さんのもとには、同じ〝ヅカファン〟たちも集まる。そのうちのひとりから、「『ベルサイユのばら』をイメージした土鍋ごはんをつくってもらえないか」とリクエストを受けた。それがきっかけで「オーダーメイドの土鍋ごはん」という新たなサービスを思いつく。

「誕生日や結婚記念日、フルマラソン完走祝いなど、テーマはなんでもいいの。お客さまの記憶に残るような料理をつくれたら、きっと喜んでもらえるんじゃないかと、ひらめいたんです」

ネイルでも靴でも旅やホテルでさえも、オーダーメイドが人気を集めているいま。林さんの斬新なアイデアは、大きな可能性を秘めているのではないだろうか。

ちなみに『カサノヴァ』はヴェネツィアを舞台にした逃走劇で、主人公が監獄から脱獄する際、チーズマカロニに剣を隠して逃げるという場面がある。そこにインスピレーションを得、剣に見立てた太刀魚をごはんのなかに忍ばせるという遊び心に満ちたサプライズを用意した。その仕掛けを発見したときの、客の驚きと歓喜に満ちた顔が浮かぶようだ。

『やくみや』のオーダーメイドはほかにもある。高齢で外食ができない両親のためにちょっと豪華なお弁当をつくってほしいといった要望に応えるテイクアウト。その日ある食材から調理法を希望できる上級者向けわがままサービス。

ついこのあいだは、刺身にカツオを見つけた客が、生ではなく火を通して食べたいと言った。林さんはただ焼くのではつまらないと、パン粉をまとわせて中は半生のレアフライに仕立てて出した。客からは「自分じゃ思いつかない料理！」とたいそう喜ばれたという。

またあるときは、「最近、野菜食べてないなあ」という男性客に、野菜だけで温かいおひたしをつくってあげた。すると「生野菜はいやだなと思っていた僕の気持ちをよくぞわかってくれた！」とあっという間に平らげた。

内なる力を喚び起こす

林さんは今年五十になる。年齢を重ねて、客がいま何を欲しているのか、少しだけわかるようになってきたという。

「正直、昔はまるっきりわからなかった。というより、意識が足りませんでした。自分がつくりたいものをつくって、それを食べてくれるお客さまがいればいいと。ひとりよがりだったかもしれません。でもいまは、このひとはこの瞬間、何を食べたいのだろうとすごく考えるようになりました。量の加減もそう。たくさん召し上がる方、少しで十分だけど品数は欲しい方。いろいろな方がいて、それぞれの「ちょうどいい」を出せるようになってきたように思います」

客の胸の内にある声に耳を傾け、ぴたりと寄り添うオーダーメイドの料理。林さんは「お客さまに鍛えられた」と言うが、彼女自身の努力によるところも大きいと私は思う。

三十代だったころは、店を閉めてから毎晩のように飲みに繰り出していたが、数年前から一切なし。自宅に帰ってからの飲食は控え、できるだけ早く寝るようにしている。休みの日は、二十二時までにはふとんに入り、睡眠をしっかりとる。食事にも気をつかう。朝食は和食中心。白いごはんとたっぷりの野菜に海藻類、魚や肉も加える。「飲みに行くことより、おいしい朝ごはんを食べることが楽しみになった。休日の睡眠は自分へのご褒美です」

運動習慣も加わった。週に一度、体のメンテナンスのために有酸素運動とストレッチ、整体を組み込んだコースに通う。ひとりになってすぐの五年前から欠かさず通うのは、健康あっての仕事だと実感しているからだ。

体が資本。わかってはいたけれど、パートナーがいたころは甘えがあった。不規則な生活と不摂生で、たびたび体調を崩した。でもいまは、ほとんど風邪をひかない。姿勢がよくなり、体幹がぶれなくなった。不思議なもので、体にキレが出てくると、料理の味もクリアに表現できるようになった。

店を経営するということは、毎日、決まった時間に店を開け、安定したクオリティの料理とサービスを提供し続けなければならないということだ。ＳＮＳの時代。見映えする写真を撮り、おすすめの料理やこだわりなどの文章を添えてアップするのも手を抜けない。会計も見なければならないし、ひとを雇用すれば育てることも経営者の仕事。そうした一切合切の責任を、林さんは「独り」になったおかげでようやく負えるようになったという。

「振り返れば、ずいぶん相手に頼っていたんだなと思う。お金のことなんか全然わからなかったし、SNSも「自分で発信して」とよく言われていたけれど、まったく身が入らなかった。必要性を感じられなかったんです」

料理にさえ集中していればいいと思っていた。だから、つくった料理の説明を「料理人がすべき」というパートナーの意見に賛同できなかった。いまならわかる。テーブル席の団体さんに皿を運びながら、「旬でおいしいスズキが手に入ったので、同じく旬の冬瓜と合わせて揚げ出しにしました」などと説明すると、客の反応が以前とまったく違った。「ひとりでやってるのにわざわざ説明してもらえるなんて贅沢」。そう喜ばれ、「ああ、彼女が言ってたのはこういうことだったのか」。ようやく気づくことができた。

野口整体の創始者である野口晴哉は、人間は非常時になると、平素では考えられない力を発揮することができるが、体力を喚び起こすのは非常時だけではない。自分の力を自発的に発揮しようと体のなかに「勢い」を起こすことで、潜在している力が発揮されると説いている。著書『整体入門』(ちくま文庫)にはこんなくだりがある。

「持っている自分の力を自覚しないで助けを求め、自分の体のことは、自分の力を発揮して処すべきことだと思わず、自分の大便を他人に気張ってもらって出すつもりでいるから、体の中に勢いが起こらない。（中略）頼ることやすがることばかりを考え、他人の力をあてにしているから、自分の力が働かないのである」

十年という長い時間のなかで、林さんの歩みを見てきた私は、彼女の持つポテンシャルの高さと、それを十分に発揮できないでいた時期のことを思い、この一文を思い出す。

半歩先の提案

経験を積み重ね、料理にも接客にも磨きがかかった『やくみや』には、昔からの常連だけでなく、新しい客もどんどん増えている。林さんの体内に「勢い」が起こり、潜在的に眠っていた能力がいま発揮されているからだと思う。

大きな変化は、客層が若返ったこと。それから、初めて来た客が「おいしかったのでまた来ました」と友人やパートナーを連れてリピートしてくれる率が高くなったことである。

若いひとが増えたのは、ツイッターで募集したアルバイトの子たちがみな二十代なこともある。彼女たちが友人を紹介してくれるのだ。

わがままな大人たちの心をオーダーメイドなサービスでつかみ、和食が新鮮な若い世代に、確かな味と、男前美形のビジュアルでファンにさせてしまう林佐和。見つめているのは、その先だ。

「お客さまの半歩先をいきたい。その方の欲していることを察してつくる努力をしてきたけれど、もう少し進んでこちらから提案できるようになりたいと思っています。相手の好みのものばかりではなく、あえて食べたことのないような味でも挑戦してみようかなと思ってもらえる工夫とか」

そんな話を聞いたばかりのある夜。遅めの時間に訪れると、二十代の女性ふたりがカウンター席で、メニューとにらめっこしながら、つぎ何を頼もうかと悩んでいた。

「よかったら里芋の揚げだし、食べてみませんか。地味に思うかもしれないけど、私がいちばんおいしいと思っている里芋なの」

湯気があがる器に、ふたりは「わぁおいしそう!」と歓声を上げる。ふうふうと冷ましながら恐る恐るひと口。「すごくおいしい。この里芋」。弾んだ声に、心からの感想であることがわかる。

「でしょう? もう少ししたら、その日本一おいしい里芋をつくっている男の子が来るの。よかったら感想、伝えてあげてね」

半歩先の提案。ごく自然とやってのけているじゃないか。しかも、ワクワクするようなこの夜限りの「楽しみ」をさりげなく創り出して。

五年前、カウンター席から眺める『やくみや』の厨房をどことなく寂しく感じたが、そんな空虚さはすっかり消えていた。明るく清潔な仕事場で、客たちの内なる声に耳を澄ませ、あのひとこのひとをつなぎ、楽しそうに庖丁を手にする女将。以前は線の細い印象だったが、いつの間にか、しなやかな強さを身につけていた。

店も、ひとも、同じところに留まってはいない。私はその変化を受け入れ、楽しみたい。応援できたらとも思う。

十年、通い慣れた杉大門通りのゆるやかな坂をくだる。水色の看板の、あの階段をのぼれば今夜も彼女が待っている。

イタリアマンマは三度めで花開く

渡邊マリコ

『fujimi do 243』西小山

指先までおいしいよ

数年前、武蔵小山のもつ焼き屋に入ったときのことだ。タン、カシラ、シロ……と王道の串焼きが並ぶメニューの一角に、「カラスミポテト」「ホルモンサラダ」「牛肉のタリアータ」など、らしからぬ料理があった。正体不明の「カラスミポテト」が気になる。ポテサラ的なものかと思いきや、フレンチフライにこれでもかのカラスミパウダー。バターもコーティングされている。脂と魚卵という禁断を、絡められたルッコラが見事に消し去ってくれていた。

友人と「止まらないね」と箸でつまみ合っていたら、目の前のキッチンで我々に背を向けて調理をしていた女性がくるりとこちらを向き、「手でつまんだほうが、指先までおいしいですよ！」と言うや、ニカッと笑った。くじらの目のように目尻が下がる笑顔には、親しみやすさしか感じられなかった。すっかり彼女のファンになった私は、イタリアのマンマそのもののような女性シェフに会いたくて、何度も武蔵小山に通った。

イタリアマンマそのひとは、渡邊マリコ。のちに「ホルモンイタリアンとロゼ」のコンセプトで、『fujimi do 243（以下、フジミドウ）』を開き、オーナーシェフとなった。ここは、看板のホルモン料理はもちろん、「カレーもパスタも甘いものもあって、みんなおいしい」と食堂づかいするご近所さんも、飲み慣れたオトナたちもやってくる、風通しのよいワイン酒場である。

『フジミドウ』は、二〇一八年十月にオープン。東急目黒線・西小山駅からすぐ、「にこま通り商店街」の一角にある。初めて訪れたとき、なんだか懐かしいにおいのする商店街だと思った。小さな通りには、昔ながらの寿司屋や蕎麦屋、弁当屋に、隠れ家的なビストロやバル、明るい時間から営業する居酒屋など、ひとびとの暮らしに根づいた食べもの屋がひしめきあっていて、おいしい匂いがあちこちから流れていた。ひょいと覗いてみると、店内で天ぷらを揚げていたり、手づくりの惣菜をショーケースに並べていたり、働くひとたちが見えた。みんなあくせくしていないのがいい。のどかな風景に、心がなごんだ。

「目黒区は自分が生まれ育ったところだし、働く場所というより暮らす場所。西小山には昭和っぽさが残っていて、勤め人が地元に戻ってきてリラックスできるのんびり感があって好き。もう一度店をやるなら、西小山と思っていました」

渡邊さんにまちの印象を伝えると、そんな言葉が返ってきた。彼女が「もう一度」と言ったのは、ここに至るまで、ふたつの店の幕を下ろしてきたからだ。

二〇〇八年八月、初めての店『オステリアルーポ』を祐天寺と学芸大学の間の住宅地で開いた。ストレートなイタリア料理で勝負。地元客に重宝されるものの、どの駅からも遠い立地もあって苦戦。約二年で閉めた。つぎに、人通りの多い場所を求めて目黒で『コッキーナ』を始める。「ホルモンイタリアンと無農薬野菜とロゼワイン」。現在にも通ずるコンセプトを明確に打ち出したその店は、店主の狙いどおり多くのファンをつかみ人気店となった。だが、今度は多忙から体調を崩してしまい、二〇一三年十二月に泣く泣く閉店。それから五年間、雇われシェフとしていくつかの店で料理の腕をふるうものの（私が出会った武蔵小山のもつ焼き屋もそのひとつ）、自分の店で勝負する夢を諦められず、西小山で三度目のチャレンジとなった。

『フジミドウ』は、カウンター八席の小さな店である。渡邊さんが料理も接客もひとりでこなす。外にはテラス席があり、コロナ禍のなか使われていない二階もあるが、基本はうなぎの寝床のように細長い店内で、マンマシェフが食いしん坊たちと相対で接する。

雪の結晶のように真っ白な「トリッパのカルパッチョ」は、一目瞭然の鮮度。噛むたびに跳ね返ってくる食感と内臓のうまみは類を見ないひと皿だ。席につくなり、毎回頼んでしまう「豚尾（トンビ）の煮込みピッカンテ」は、勝手ながら渡邊さんのマスターピースとして認定したい作品。コラーゲンたっぷりの豚の尾を、唇のまわりがペタペタになっても骨までしゃぶりつきたい衝動にかられるのは、私だけではないはず。このツートップで、もつ界に新風を吹かせている。

その風格は、会話にも表れる。ここのカウンターに座っていると、たびたび笑いが起きる。客同士の間ではなく、鍋やフライパンを操っているシェフが何かの拍子で口にする小ネタに、みなが沸くのだ。

「レッドギドニーってスパイダーマンみたいですよね、違う？」

「たしかに〜（笑）」

水で戻し中のあずき色のそれは、言われてみればアメリカンコミックのダークヒーローに見えた。そこから客同士で会話が弾み、いつの間にかカウンター全員がひとつの話題で盛り上がっていたりする。

「マリさんのホームパーティーに招かれたみたい」

なんてお客から言われることもあるらしい。私はどちらかというと、渡邊さんのひとり芝居を見ている感覚だ。芸の立つ役者、ピンで活躍する芸人は、たったひとりで聴衆を魅了する。渡邊さんの話術、場の空気の読み方、ふるまいには、優れたコメディアンに通じるものがある。その冴えた笑いにふれていると、「苦労のひと」だということを忘れてしまいそうになるが、たどってきた道のりは決して平坦ではなかった。

省かない、惜しまない

目黒で牛乳の卸売り販売業を営む両親のもとに生まれた。幼いころは、母親が料理をつくっている姿を眺めているのが好きだったという。

「私が小学校に上がる前までは、祖父母も同居していて、住み込みの従業員さんも三、四人いた。母は彼らのごはんもつくっていたから、朝から晩まで一日じゅう料理のことをしていたひとでした」

家族の食事は、日々の繰り返しである。献立を考えて、買い物して、準備して、調理して、食べ終わったら片づけて……。それが、毎日、六～九人分なのだ。育ち盛り、働き盛りの食欲旺盛な胃袋を預かるのは、さぞかし大仕事だったことだろう。

「でも、母は料理が好きだったんでしょうね。いつも楽しそうにだしをとったり、大きな鍋で煮炊きをしたりしていた。私も手伝いはしょっちゅう。あるとき、ほうれん草の軸についた土を洗い落とすのが面倒だとぼやいたら、母がこう言ったんです。「大切な家族のために、手間は惜しまないのよ」と。私はまだ小学校低学年でしたが、重要なことを聞いたような気がしてハッとしました。いまでも菜っ葉を洗うと思い出します」

料理に手をかけることは、気持ちを注ぐことであり、それ以上においしくなる魔法はない——。

渡邊さんは、台所に立つ母親の姿から、料理の本質を学んだのだろう。手間を省かないポリシーは彼女の料理に受け継がれている。

たとえば、前述した「豚尾の煮込みピッカンテ」。コラーゲンたっぷりの豚の尾を、香味野菜とじゃがいもとともにトマトソースでトロトロに煮込んだものだが、四時間以上という煮込み時間もさることながら、香味野菜の扱いに手抜かりのなさを感じた。

イタリア料理の技法に「ソフリット」と呼ばれるものがある。細かく刻んだたまねぎ、にんじん、セロリの香味野菜をじっくり炒めて野菜のうまみを凝縮させた味のベースで、これを加えることでぐんと料理の風味が深くなる。多くのレストランではまとめて仕込んでおくため、野菜のみじん切りはフードプロセッサーを活用するのが一般的だ。

しかし渡邊さんは「フープロにかけると野菜が潰れてしまう。この料理は、それぞれの野菜を均一に細かく刻むことで、火の通りを同じにするとともに、口に入れたときのプチプチとした野菜の食感も大事にしたかった」と、どんなに面倒でも庖丁でみじん切りにしているという。それを三十～四十分かけて焦げつかないよう、しかしあまり手を加えないよう、神経をつかいながら火を入れ続けて、ようやく〝味のモト〟となるソフリットが完成する。フードプロセッサーを使えば一瞬にしてみじん切りができるし、炒める時間も少なくてすむ。だが、この手間をかけるのとかけないのとでは、味の深みがまったく違うと渡邊さんは考える。

マンガ好きの少女だった。将来は、デザインの仕事がしたいと高校は美術系の私立女子校へ。大学は一浪して女子美術大学の短大へ進んだ。しかし、就職活動中に「自分には向いていない」と気づく。デザイン会社の面接に、自分の作品を持参していったが、担当者に「あなた就職する気がないでしょ」と言われてしまったという。
「商業デザインとはいかなるものかを理解していなかったんです。絵を仕事にするということは、相手の要望に応じたものづくりをしなければいけない。私にはそれができなかった」

同級生たちがつぎつぎと内定をもらうなか、焦りもあった。追い立てられるように無理に就職活動をしていただけで、本当に好きなこと、やりたいことを突き詰めていなかったのだ。

もう一度原点に立ち返り、自分を見つめ直そう。毎日リクルートスーツを着て就職活動にいそしむ友人たちを横目に、渡邊さんはレポート用紙に、「好きなこと」「嫌いなこと」を書き出してみた。おいしいものを食べるのが好き。音楽が好き。みんなが笑っているような楽しい空間にいるのが好き……と「好き」を箇条書きしていたら、「お店だ」と思い至る。

料理は、小難しいことを考えずに気軽に食べられるものがいい。どんなものがふさわしいだろう……。考え始めてすぐに、バイトしていた恵比寿のスパゲティ屋が頭に浮かんだ。そこはパスタだけでなく、前菜が多彩で、客たちはワインを飲みながらそれらをつまみ、楽しそうに過ごしていた。イタリア人はお米を食べるし、生魚も好んで使う。野菜も日本のものと似ていて、とっつきやすそうだ。

「イタリア料理の店をやりたい」

イメージが膨らむやいなや、書店に駆け込み求人情報誌を手に入れた。将来自分で店を経営することを見据え、料理修業から始めようと早速行動に移したのである。

まかない仕込みのパスタ

「女性を厨房で雇うわけにはいかない」

求人情報を頼りに、調理スタッフを募集しているイタリア料理店の門をたたくと、ことごとく断られた。時は一九九六年、男女雇用機会均等法が施行されて十年。性別を応募条件にすることはできないため、現場で男性が欲しいと思っていても、表向きは「性別問わず」と示さなければならなかった。渡邊さんは「男女問わず未経験可」の条件で、都内じゅうを探したが、いざ面接となると「ハードな仕事だから女性は無理」と返されてしまう。「どんなにキツイ仕事でもなんでもやります」と食い下がると、「そんなにやる気があるんだったら、ホールで雇いたい」と言われた。もちろん辞退した。目指しているのは料理人なのだ。

五軒、断られたところで、情報誌に頼っていては埒があかないと作戦変更。飲食店が多いまちに当たりをつけて歩き回り、求人の張り紙が出ているレストランに片っ端から飛び込む。「私を雇って」と直談判。若くて、度胸とガッツだけはあった。

一〇軒以上断られ、ようやく浅草のイタリア料理店で働けることになったその日、渡邊さんは二十四歳の誕生日を迎えた。

最初の修業先となったトラットリアは、二四席が夜だけで三回転するほどの人気店だった。

庖丁の握り方から教わった。まともに料理をしたことがなかったのだ。そのうち、まかないをつくってみろと言われる。手元にある材料でパパッとできるパスタを出すと、オーナーシェフから「こんなの食えない」とつきかえされてしまった。「油っぽすぎる」とか「パサパサしてる」とか「塩気が強すぎ」とか。どうすればおいしくなるか必死になった。自分のつくるものと先輩たちがつくるものは何が違うのか。毎朝、誰よりも早く出勤し、掃除や仕込みをすませると、シェフにかぶりついてその技術を学び取ろうとした。

料理の喜びを初めて知ったのは、つぎに入った恵比寿のワインバーでのこと。女性オーナーからはあなたの好きにやっていいわよと言われたが、三年程度の経験しかない新米シェフはすぐに行き詰まってしまう。自信を失いかけていたとき、カウンターの男性客が「こんなにおいしいリゾット初めて食べた」とぽつり。ふいにかけられた言葉が嬉しくて、渡邊さんは思わず床にしゃがみこんで泣いた。

その後もいくつかの店でシェフとしての経験を積んだのち、『オステリアルーポ』をオープンさせた。浅草時代から十二年、渡邊さんは三十六歳になっていた。

もつが好き、もつを極める

納得いくまでイタリア料理の研鑽を積み、満を持しての独立。まわりの誰もがそう思った。だが、少し事情が違った。

健康診断で女性特有の病気が見つかる。医師は良性のものだから急ぐ必要はないと言ったが、体が資本の仕事でリスクを抱えたまま店には立てない。すぐ手術を受けた。オープンのわずか四カ月前のことである。

術後は順調に回復。不安を払拭し、自分の店をもつという夢を実現させた渡邊さんは、スタッフをひとり雇い、「おいしくて楽しい空間」づくりに全力を注いでいく。だが、いっこうに客が増えない。「おいしい」と何度も通ってくれる地元客はちらほらいたが、それだけでは経営は難しい。立地が悪いのか、料理の内容が地域のニーズに合っていないのか。そもそも店が認知されていないからなのか……。待てど暮らせど閑古鳥の日々に、焦るばかりだった。

就職活動でつまずいたときと同じように、渡邊さんはレポート用紙に好きなこと、やりたいことを改めて書き出していった。好きな料理は「もつ」。そう記したとき、ハッとした。

学生時代からおじさんしかいないような大衆酒場が好きで、ひとりでも平気でのれんをくぐっていた。右も左もおじさんだらけの席にすべりこみ、「おじょうちゃん、来る店間違っているんじゃないの」とでも言いたげな鋭い視線を感じながら、ビールを頼むと大瓶がドンと置かれる。「一人前に飲めるのかい？」という挑戦状だと受け取り、のぞむところよ、とぐびぐび飲み干したあたりから、「ここはレバーがレアでうまいよ」とか「メニューに書いてないけど、焼き魚もあるよ」などとおじさんたちが教えてくれるようになる。「酒飲み」として認めてもらえた証だ。

二十歳になりたての小娘時代から〝おじさん酒場〟好きだった渡邊さんが、どの店でも必ず頼んでいたのが「もつ煮込み」だった。

「もつは安くて、うまみがたっぷり。いろんな部位ごとで味わいも食感も違って、お酒のアテとして最高のお伴。店によって、味噌ベースだったり、塩ベースだったり、辛みがあったり。もつだけのシンプルなものから、豆腐や大根、こんにゃくなどが入っているところもあって、それぞれスタイルが違うのも面白かった」

私はやっぱりもつが好き。煮込み料理は得意分野でもある。それを極めてみたい。〝もつエンヌ〟マリコは考えた。『ルーポ』を始めるとき、看板料理になればと「ホルモングラタンスープ」というメニューを考案していた。牛や豚のさまざまな内臓を香味野菜と煮込み、バケットとチーズをのせてオーブンで焼いた、ボリュームもあるワイン泥棒な一品。オニオングラタンスープから着想を得て、彼女が初めて考案したイタリアンアレンジのもつ料理だ。

「渡邊マリコといえば、もつ」

そうイメージしてもらえるくらいまで、内臓料理を研究してみよう。

思い定めると、幸運が舞い込む。もう少し人通りの多い場所へ移りたいと考えていた矢先に、目黒駅から徒歩五、六分の好立地に居抜き物件が出たのだ。路面ではなく二階だったが、八坪ちょっとのサイズ感、大きめの窓から陽射しが差し込む明るい雰囲気が気に入り、移転を決める。

二〇一〇年十一月、『オステリアルーポ』は、『コッキーナ』と店名も新たにリニューアルオープンした。〝ホルモンイタリアン〟というコンセプトをひっさげて。日本ではイタリアの内臓料理というとトリッパの煮込みがポピュラーで、レストランでもよく見かける。しかし、ホルモンに特化したイタリアンとなるとどうだろう。最近でこそ内臓系を売りにしたイタリアンやフレンチが登場しているが、十年前では珍しかったのではないだろうか。

さらに渡邊さんはホルモンに合うドリンクとして「ロゼワイン」を、そして健康志向の流れがさらに進むだろうと予感し、「無農薬野菜」を店の強みにしようと考えた。

人目につくように、手づくりの看板には「ロゼワイン・無農薬野菜・ホルモンイタリアンが美味しいお店」と手描きした。以前の客からは「ホルモンイタリアンってなんなの。わかりにくい」とか「普通のイタリアンじゃないとハードルが高くなるよ」などと不評だったが、渡邊さんは自分の直感を信じた。

『ルーポ』からの人気料理、ホルモングラタンスープに加え、豚尾の煮込みピッカンテや、白もつ大根煮など、ハチノス、コブクロ、シマチョウ、ギアラといった鮮度のよいホルモンを使った独創性あるもつ料理を、つぎつぎとメニューに載せた。

ロゼワインとの出合いは偶然だった。

「開店祝いでもらったロゼがおいしくて、意識してそればかりを飲むようになったんです。でも当時はロゼを置いている店はものすごく少なかったし、あっても甘すぎておいしくなかった。もっと食事に寄り添うタイプが絶対あるはずと、いろいろ仕入れているうちにバラエティが増えていきました」

これまで十年以上、ロゼワインと料理の相性を研究してきた渡邊さん。ロゼの魅力とは？　尋ねると、すぐにこう返ってきた。

「野菜、魚、肉など素材を選ばず、和食から中華、エスニックなど、どんなジャンルの料理でもお互いを引き立て合う、オールラウンドさ。鮮度のよいホルモンはきれいなピンク色をしているんですね。ロゼと同じ色合いだから特に内臓料理との相性がいいのかもしれません」

私は私らしく楽しもう

古い常連客たちの心配をよそに、『コッキーナ』は「もつ料理と野菜がおいしい店」と評判になり、カウンターとテーブルで一五席の店内はつねにいっぱい。お客が増えて嬉しかったが、ランチ営業もしていたため、朝から夜遅くまでフル回転で働かなければならなかった。アルバイトも複数人雇い、彼らの指導やシフト管理なども加わり、渡邊さんの負担は大きくなる一方。短いメールの返信も打てないほどくたくたに疲れ、回復しないまま翌日、また厨房に立つ日々だったという。

積もり積もった疲労は、怖れていた事態につながってしまう。独立する前に手術した病気が再発してしまったのだ。

四十一歳。医師から非情な宣告を受けた渡邊さんはショックで目の前が真っ白になった。そのうえその男性医師は、女性としての希望を踏みにじる暴言を患者に投げつけた。やりきれない怒りに飛び出してしまいたい衝動に駆られたが、この先のことを考えると受け入れるほか選択肢はなかった。

二〇一三年十二月、体力的にも限界にあった『コッキーナ』を閉店。再手術を受け、翌年の二月から武蔵小山のもつ焼き屋「豚星(ぶたほし)」の移転リニューアルオープンに合わせて、ふたたび雇われシェフとして働くことに。私が渡邊さんと出会った店だ。

術後日が浅かったが、料理人としてのブランクを空けたくなかった。フルタイムは無理だけど、夜だけの営業ならできそうだ。もつ焼き屋なのに、「イタリアンの料理人、求む」というのも面白い。「ジャンルにとらわれないもつ料理を居酒屋価格で提供したい」という女性オーナーの意気込みに共感。「まずは飲みませんか」と誘われた酒場で、ホルモンサラダなどいくつかの料理のレシピを提案し、採用が決まった。

初めての大衆酒場。扉を開けてみると、これまで自分が経験してきたレストランとはまた違った魅力があった。

「修業時代も独立してからも、お客さまに対しては敬語が当然のマナーでした。つねに姿勢を正して手は前にもってきて、左手で右手を包むように組んで……いま思えば堅苦しい感じ。そもそも厨房は客席から見えないところにあって、料理人である自分がお客さまの前に出ることはほとんどありませんでした」

それが「豚星」では、まるで反対。店のひとがお客に対してフレンドリーに接していて、渡邊さんはカルチャーショックを受ける。え、こんなにお客さまとの距離が近くていいの!? と。でも、見渡せば店内はみんな笑顔。誰もが楽しそうにお酒を飲み、店員とも冗談をかわして盛り上がっている。

「素敵じゃないか」。渡邊さんはその様子を眺め、つぶやいた。

これまで、お客さまはこちらが提供するサービスを受け取る、いわば観客だと思ってきた。ところが、ここでは客も舞台に上がる。「自分たちの酒場」を、店と客がいっしょになって楽しくしようとしているのだ。

私がやりたかったのは、こういう店なのかもしれない……。渡邊さんは大事なことをつかみかけていた。

「食」を通じて、みんなが楽しくて幸せな気持ちになれる場所がつくりたい。そんな想いから志した世界。それにはまず、自分が自分らしく楽しむことが大事なのではないか。自分の色を消して、お客さまと距離を置いているだけでは、笑顔が満ちる空間は生まれない。もっと私は私らしく、自分を表現しながら、お客さまとのコミュニケーションを楽しもう。

若手経営者が盛り上げる新しい大衆酒場での気づきは、その後の渡邊さんを大きく変えることになる。

女将のキャラも味

「豚星」は約一年勤めた。それからも別の店で雇われシェフをしていたが、胸の内には「いつかもう一度自分で」という火種がいつも静かにくすぶっていた。気持ちが再燃すると、必ず思い出すことがあった。

「『コッキーナ』を辞めるとき、父がひとりでふらっと飲みにきてくれたんです。カウンターでお酒を飲みながら「おまえ、また店をやるのか」と聞くので、「やるよ」と即答したら、「そんな大変な思いをしてまで、またやるのか」と。それから「そうだよな、そうじゃないと生まれてきた意味がないものな」とつぶやいた。本人は深い意味はなく口にしたようですが、料理人であることが私の価値なのかも……と妙に納得しました」

父親の言葉が無意識のうちに渡邊さんの背中を押したのだろう。「豚星」のある武蔵小山の隣り駅、西小山でやってみたいとふらりと入った不動産屋で「これ、今日出たばかりなんですけど」と見せられた物件に胸が高鳴った。ほぼ希望どおりの条件だったからだ。

駅から徒歩五分圏内の商店街の路面にあって、カウンター中心の店づくりがしやすい縦長の間取り。

「物件を探す前から、カウンター越しに自分がお客さまに笑いながら料理を出してい

るイメージが繰り返し浮かんでいた。この図面を見た瞬間、私が求めていたのはここ

だ！　と確信しました」

渡邊さんは勘が鋭い。第六感が働くといってもいいかもしれない。再出発の店の名前を決めるとき、不思議な夢を見たという。

「青々と葉が生い茂っている樹木が何本も立っている富士山が、目の前でキラキラと輝いている。その様子をなぜか母とふたりで、きれいねえ、と眺めているんです。何かを啓示しているようで、富士山をイメージする店名を考えようと」

これが三度目の挑戦。今度こそ続きますようにとの願いをこめて、「富士山」と「不死身」をかけて『fujimi do』と名づけた。〝do〟には、食堂の「堂」の響きと、英語の「Do」の意味を加えて。

そしていまがある。

開店一周年を過ぎたころ、友人と日曜の昼下がりに訪れた。土日祝日は、「お休みの日は、自分も昼から飲みたい派なので」という店主の心意気で、午後一時から夜八時までの通し営業なのだ。ハウスワインにするほど渡邊さんが惚れ込んだ京都・丹波

ワインの「てぐみ」の、酸化防止剤無添加のナチュラルな飲み心地にひたっていると、昼飲みの愉楽を求めて同好の士たちがひとり、ふたりとやってきた。

犬の散歩途中に「一杯、いい？」と、外のカウンターでワインを飲んでいく近所のお兄さん。お母さんはワイン、中学生の娘さんはパフェを手に、まるで友だち同士のような仲良し母娘コンビ。ＳＮＳで情報をキャッチして遠征してきたという若いカップル……。私が聞き出したのではない。せっせと話しかけている渡邉さんとのやりとりから漏れ聞こえてきたのだ。

料理の手を動かしながら、客と好きな漫画の話で盛り上がっていたかと思えば、神妙な顔で悩み相談にのっている。料理も接客もこなす姿に感心していると、私のグラスが空になっているのに気づき、「やまさんいい飲みっぷり！　もう一杯飲みます？」ときた。

かつて、自分に何ができるんだろうと模索していた女性はもうどこにもいなかった。オーナーシェフ渡邉マリコは、「ホルモンイタリアンとロゼ」というオリジナリティを見つけ、それを店の看板にまで磨き上げた。東京の飲食シーンは、嗜好の多様化、細分化がますます進み、よりマニアックな、より特化したコンテンツを求める傾向にある。彼女は流行を追いかけたわけではないが、自分の好きなもの、やりたいことを追求していった結果、時代が追い風になっていたということだろう。

店主のキャラクターもひとつの味だ。仕事でくたびれていたら、元気になってもらえるように。落ち込んでいたら、少しでも晴れやかな気持ちになってもらえるように。眉間に皺を寄せた客がいたら、笑ってもらえるように。

渡邊さんは「来てくれたお客さまみんなが楽しく幸せな気持ちになってもらいたい」と、持ち前の笑いのセンスと、心の機微に触れる繊細さを発揮し、客たちを明るい気持ちに包んでいく。

「買い物に出たつもりだったのについ寄っちゃった」と入ってきた女性が、帰り際、「マリさんにはいつも元気をもらっている」と言っていた。

料理と人望で「おいしくて楽しい空間」を実現させた渡邊さん。つぎに訪れたときは敬意を込めてこう呼びたい。

「マリコ女将」

たぶん、似合わない、柄じゃないと一笑されるだろうけれど。

静かな革命を、八ヶ岳から

山戸ユカ 『DILL eat, life.』北杜

行動する女将

そのひとを「女将」と呼ぶには、相応しくないのかもしれない。八ヶ岳の南麓で、地場の無農薬野菜と玄米を中心としたオーガニック料理が人気の『DILL eat, life.（以下、ＤＩＬＬ）』のオーナーシェフ、山戸ユカ。本書の取材を始めるにあたり、真っ先に話を聞きたいと思った女性のひとりである。彼女に興味をもったいちばんの理由は、料理に対する姿勢——信条ともいえる、にある。

東京生まれのユカさんが夫の浩介さんとともに『ＤＩＬＬ』を開いたのは、二〇一三年秋。夫婦ともにアウトドアを愛し、登山、ロッククライミング、スキーと、自然とともにあるライフスタイルを楽しんでいる。父親の影響もあり、子どものころから山に親しんできた彼女は、環境問題に強い関心を寄せてきた。『ＤＩＬＬ』が目指すのは、自然環境にできるだけ負荷をかけない、「持続可能な循環型レストラン」だ。「地域のなかで循環していきたい」と、店で扱う食材のほとんどは、ふたりが信頼する地元の生産者から直接仕入れている。米や野菜、フルーツなどは、無農薬・無化学肥料によって土壌づくりに配慮する農家から。肉（DILLでは鶏肉のみ）や卵、魚は、生き物の生態にそって、健康的な方法で育てる生産者から。どの生産者も、未来のために自然資源を守りながら農業や畜産漁業を営む、山戸夫妻と志を同じくするひとたちだ。

食に携わる人間にとって、食品ロスやゴミ問題は避けては通れない課題である。『DILL』では、キッチンから出る生ゴミは浩介さんが自作したコンポストボックスで堆肥に変えて、敷地内につくった畑で野菜やハーブを育てるのに活用している。これにより、ゴミの総量を三分の二に抑えられるだけでなく、その堆肥でまた野菜ができるという、「循環」を実現。さらに最近は、自分が実践するに留まらない。「#環境おばさん」のハッシュタグつきで、SNSを通じてフォロワーたちに環境意識の転換を促し、誰もが始めやすい暮らしシフトのヒントや工夫を発信することにも熱心だ。

たとえば、すべての家にコンポストがあれば相当の生ゴミが減らせると考えるユカさんは、ベランダや家庭の生ゴミを堆肥に変えられる都市型コンポストをネットで購入して自ら試し、その性能の確かさを実感したのち、こう呼びかける。

「まだ試してみようか悩んでいるそこのアナタ！　コンポストを始めるには今の時期が最適ですよ!!　梅雨や夏は虫がわいたり、生ゴミが腐るリスクが高くなるので、そ

の季節までに慣らしておくのが良いかと。Let's コンポスト生活!!」（二〇二〇年三月十五日のインスタグラムから）

また、深刻な海洋汚染につながるマイクロプラスチック問題に対し、食器洗い用のスポンジを植物繊維からつくられるセルローススポンジに切り替えたり、収益の八割が森林保護団体に寄付されるというネットの検索エンジンを紹介したりと、積極的にエシカルなアクションを起こしている。

その取り組みを知るたび、食の革命家、アリス・ウォータースが思い起こされた。カリフォルニア・バークレーで地産地消のオーガニック料理を提供し、世界的人気を誇るレストラン「シェ・パニーズ」の創設者。一九七一年の開店以来、ひとびとに「よりヘルシーなものを」「よりローカルなものを」「より責任ある食べ方を」と訴え、持続可能な農業や流通のあり方を提唱してきた。ひとりの女性から始まった食の革命は、アメリカ人の食習慣や食べ物に対する考え方を変え、多くの料理人に影響を与え続けている。

アリスの考え方に共鳴するように、アメリカではファストフードや肉食中心の脂質の高いものに偏りがちの国民性が健康志向になった。添加物や保存料が入った食料を避け、できるだけ自分たちが暮らす地域でつくられた、旬のものを好む層が確実に増えているそうだ。レストランも同様。近郊の有機農家や畜産農家から調達した食材をシンプルに調理する「ニューアメリカン」と呼ばれる素材料理が浸透しつつあるという。

そして現在。世界を見渡してみると、アリスのようにキッチンを飛び出し、環境や社会によいインパクトを与える活動を行う料理人が増えている。フードロス問題、CO_2排出削減など、その活動分野は多岐にわたっているが、彼らに共通するのは、食の現状に対する危機感だ。環境破壊や資源の使いすぎ、乱獲など、さまざまな要因が絡まり、かつては普通に手に入ったものが入手困難になり、食材の質も落ちていると感じる料理人は少なくないようだ。

いま手を打たなければ手遅れになる。そんな意識から、自ら行動する料理人が増えているのだろう。

アリス・ウォータースがそうであったように、いまや料理をつくるだけが料理人の仕事ではなくなった。日々、自然の産物であるさまざまな食材と向き合う職業だからこそ、その資源の変化には誰よりも敏感に違いない。彼らは食に携わる者の責務として、その創造力や知識、リーダーシップを発揮し、サステナブルな社会変革を起こそうとしている。

食から始まる持続可能な社会への転換――。世界的なこのムーヴメントのなかに、八ヶ岳の料理人、山戸ユカがいる。私は知りたかった。東京で生まれ育ち、料理研究家として、あるいは少し前にブームを巻き起こした「山ガール」のカルチャーアイコンとして人気だった彼女が、山の料理人として生きる道を選んだのはなぜか。ローカルの同志たちとともに循環型のライフスタイルを広げようとしている、その意識の根幹にあるものとは――。

かつて酒場の女将は、料理と酒で客をもてなしてきたが、現代の女将はそこに留まらない。自ら庖丁を握る彼女たちは、料理を表現のひとつととらえ、食を通じて伝えたいこと、実現したい何かを抱いている。インフルエンサーとしての影響力ももっていたりする。そんな新しい女将像を体現するユカさんを、私は「行動する女将」と呼びたい。アリス・ウォータースさながらの実践と発信力で、八ヶ岳のふもとから体にも自然にも健全な食のあり方を提案しているのだ。

雪のない八ヶ岳で

真冬のよく晴れた日、八ヶ岳へ向かった。新宿から特急電車で約二時間、小淵沢駅で下車し、タクシーに乗り込む。数十分も走ると、ロッジ風のウッディな一軒家に到着した。隣りには、お母さまが営むペンションがある。

木の切り株でつくられた看板に『DILL eat, life.』の文字。店と住まいを兼ねた重厚感ある建物の目の前は、うっすら白い雪をかぶった南アルプスの山々が広がり、かたわらを山からの湧き水が清らかな音を立てて流れていた。エントランスには外灯代わりのランタンが掲げられ、玄関の引き戸にはネイティブアメリカンの伝統柄をモチーフにしたブランケットが巻きつけられている。

店内は天井が高く、「暖房設備はこれだけ」という薪ストーブが中央に据えられている。空間を贅沢に使ったテーブル配置。大きく採られた窓からは、ふもとまで続く広大な畑と南アルプス山脈が望める。キッチンと客席の仕切りはなく、シェフがつぎつぎと料理を仕上げていくライブ感が楽しめる。運よくカウンター席に座ることができたら、山戸夫妻と野菜のこと、山のこと、音楽のこと、興味のおもむくままに話してみたい。庭に出てみると、ウッドデッキにヴィンテージの大きなテーブル。休日などプライベートで焚き火をしたり、野外で食事を楽しむこともあるという。

なんて素敵なのだろう。東京にはない、いやできない、八ヶ岳という場所を最大限に生かした空間づくりである。たんに自然に囲まれているからいいのではない。膨大なアナログレコードのコレクションとハイグレードな音響システム、壁に掲げられたイラストレーションなど、店内のすみずみにふたりの都会的センスが表れていて、田舎にいながら都市を感じられるライフスタイルに新しさを感じたのだ。

「今日は定休日だからゆっくり話しましょう」

おかっぱヘアに黒縁眼鏡。ボーダーのセーターにコットンパンツと、リラックスした格好で迎えてくれたユカさんは、「飲みますよね」と甲府のクラフトビール「アウトサイダーブリューイング」の生ビールをふたりぶん注ぎ、眺めのよい席に私を案内してくれた。

「こんなに雪のない冬は初めて。あきらかにおかしいですよね」

暖炉の薪がパチパチと音を立てて静かに燃える暖かな店内で、雪のほとんどない南アルプスの山並みに視線を向け、ぽつりとつぶやいた。日は傾き、西日が差し込む室内に長い影をつくっていた。

「山に囲まれて暮らしていると、温暖化が進んでいることを肌で感じます。このあいだ、SNSで〝人類滅亡までカウントダウン〟なんてつぶやいてしまったけれど、大げさではなく、このままでは取り返しのつかないことになると思う。

でも、世界中のみんなが意識して、いまより少しだけ環境に配慮した生活を心がければ、大きな流れになるはず。私は料理人として、アウトドアを愛する者として、持続可能な循環型レストランを目指しています。そしてその輪を広げて、地球が健全で幸せになる未来をつくっていきたいんです」

夫婦で八ヶ岳へ移住するまではずっと東京だった。

「東京といっても、私が生まれ育った吉祥寺の家の近くには玉川上水が流れ、畑が広がっていて緑も多かった。秋になると、庭の柿の木の下で落ち葉を集め、母と姉と焚き火をするのが楽しみでしたね」

親の存在が、のちの人生の選択に影響を及ぼすひとは少なくないが、ユカさんもそのひとり。料理とアウトドアを志向するアイデンティティは、「まぎれもなく、父と母の影響」によって育まれた。

「とにかくかっこいい男のひとだった」という彼女のお父さんは、ロッククライミングとサーフィンを愛するナチュラリストだった。イヴォン・シュイナードがパタゴニアを創業し、自然回帰運動が起きていた七〇年代のアメリカに憧れていた父親は、勤めていた会社を辞め、吉祥寺でアメリカンテイストのステーキハウスを開いた。店はいつもひとであふれていたが、父親は、休みを削ってでも自然のなかにいることを求めた。早朝に車を飛ばし波乗りをしてから仕込みを始めたり、休日には子どもたちを連れて高尾山や伊豆にキャンプに出かける。タフでワイルドな父親がユカさんは大好きだった。将来のことを漠然と考え始める思春期、「お父さんみたいなお店のひとになりたい」と思うように。

料理については、「完全に母の味がベース」という。

「時代的に、味の素とか抗生物質が入ったお肉とかがどんどん出てきていたけれど、母は添加物が入ったものは絶対に使わなかったし、だしはその都度、鰹節を削って引くひとでした」

ユカさんの料理の主役は、旬の野菜と玄米。鶏肉や卵など動物性たんぱく質も使うが、共通するのはヘルシーで安全であること。健全な料理にこだわるのは、母の健やかごはんを毎日食べて育ったからである。

「私たちの体は食べたものでできている。だから、何を食べるかはとても大事だということを、母は日々の食事で教えてくれたのだと思います」

厨房に立つ父親の姿に憧れ、食の重要性を母親から学んだユカさんが、本格的に料理で生きていくことを意識したのは、大学時代にカフェでバイトしていたときのこと。

「バイト仲間を自宅に招き、ごはんを振る舞うのがすごく楽しかった。みんな「おいしい」と褒めてくれて。ひとに何かを提供して喜ばれることが、こんなに嬉しいんだって初めて知りました」

このとき二十歳。「二十七歳までに自分の店をもつ」という目標を掲げ、吉祥寺の実家の近くのカレー屋で料理修業を始める。スパイスをたっぷり使った本格的なインドカレーが人気の店で、ユカさんは二十三歳で店長を任される。スタッフの育成や売上げ管理など経営者に必要なイロハを学べたというが、独立の設定が二十七歳は早いのでは？「なんで二十七だったのか私も憶えていない（笑）。たぶん、若くていきがってたんだと思います。でも、そんな年齢で店を出さずに本当によかった……」。

いきがりは若さの特権。かつての自分たちを思い出し、二十年以上歳を重ねた我々は笑ってビールをおかわりした。

「土地を食べる」放浪の旅

立ち止まったのは、浩介さんとの出会いがあったからだ。

彼はもともとカレー屋のお客さんだった。二十七歳までに独立するんだ！　と休みも取らずにがむしゃらに働いていた若き女性店長の前に、浩介さんはまるで窓から入る風のようにふわりと現れた。瀬戸内育ちののんびり、おっとりした性格の彼と知り合い「すべてが変わった」と振り返る。

「当時の私は、料理で身を立てることしか頭になくて、多趣味で旅好き、アウトドア好き、ファッションもインテリアもセンス抜群の彼のすべてがカルチャーショックでした」

狭い世界しか知らない自分が、このまま店をやったところで、いい店がつくれるとは思えない。もっといろいろな世界を見て、多様な価値観を知りたい――。

そう思うと、開業資金として貯めていた数百万円を握りしめ、浩介さんとふたりで放浪の旅に出た。タイから入り、ラオス、カンボジア、中国、チベット、ネパール、インド、モロッコへ。バックパックひとつで旅を続けた。一泊五〇〇円以下の安宿に泊まり、現地のひとたちが通う食堂で食事をとった。帰国すると、今度は国内を車で回った。貯金が尽きるまで旅した記憶は、料理人山戸ユカにとって、かけがえのない財産になったようだ。

「レストランの手の込んだ料理より、宿のお母さんがつくってくれた素朴なカレーとか、現地のひとの自宅でご馳走してもらった家庭料理のほうが忘れられない。その土地の食材と水をつかい、その土地のひとがつくる。そのライブ感は絶対にそこでしか味わえないもの。彼らと交わした何気ない会話や、そのときの光の加減、湿度、雑踏のざわめき……食べ物のまわりにあるすべてが五感に刻まれ、私の料理のなかに溶け込んでいるのだと思う」

約二年にわたる旅がもたらしたのは、料理のインスピレーションだけではなかった。その土地でとれたものを、その土地で食べることの充実は大きく、帰国後は、「身土不二」（人間の体と土地は密接につながっていて、健やかに生きるためには、自分が暮らす土地でとれた健全な食べ物を食べることが重要だという考え方）の思想がベースにあるマクロビオティックを実践するように。このとき、野菜と玄米を中心に、動物性たんぱく質を避けた食生活に切り替えた経験が、バラエティゆたかで満足度の高い野菜料理を得意とするユカさんのスタイルを築き上げたことは間違いない。

「私たちの体は、自分たちが食べたものでできている」

母親の姿から学んできたことをマクロビによってさらに強く実感した彼女は、もう〝カフェごはん〟の世界に進もうとは思えなくなっていた。そして、旅で「自由」というものを知ってしまったあと、狭くて息苦しい都内のレストランで、誰かに雇われながら朝から晩まで働くこともできなくなっていた。

飲食店ではないスタイルで、自分のスキルを活かすことはできないか。模索していたところ、友人から料理教室はどうかと勧められる。そのころ、ユカさんは浩介さんと吉祥寺で一軒家を借りて暮らしていて、ひとが集まるのに適したスペースがあった。

教室を開いてみると、一日四人のみのクラスは、ユカさんの友人知人から始まったが、マクロビをベースにしたその教室は、告知を出すとすぐに定員に達する人気教室に。それが編集者の目に止まり、やがて雑誌で引っ張りだこの料理研究家として立て続けにレシピ本を出版。二〇〇八年、九年ごろのことで、当時、大ブームだった「山ガール」現象も追い風となり、山好き女性クリエーターらと結成した編集ユニット「noyama」としても数々のアウトドア本を生み出してきた。

だが、そのうち虚しさを感じるように。

「料理研究家としての仕事はどんどん入ってきたし、教室の生徒さんも増えていた。でも……。ただレシピを提供するだけで、ちゃんと料理のことが伝わっているのだろうかと疑問が膨らんでしまって……」

レシピや技術より大事なものが料理にはある。自分が住んでいる土地でとれた旬のものを使うことが、健やかな心身をつくるということを伝えたかった。レシピを忠実に再現するのではなく、その日手に入った材料で、自分なりのおいしさを探究するアレンジ力を身につけてほしかった。

雑誌や料理教室でそれを伝えるのは無理があるのかも……。自分が拠って立つ仕事に限界を感じ始めていたころ、生まれてから三十年住み続けてきた「東京」が色あせて見えた。

あらゆる食材が手に入る東京は便利ではあるけれど、外からの寄せ集めだという脆さは否めない。なんでも揃うということは、季節感から遠ざかることでもある。近くの畑でとれたばかりの野菜にイマジネーションを働かせ、料理を発想するワクワク感もない。くすぶった想いを抱えながら、週末は浩介さんと山に登り、キャンプをしてリフレッシュする日々。そのころのユカさんにとって「東京」は、仕事をする場所でしかなくなりつつあった。

二十代のときに延期した、「自分の店をもつ」という夢は諦めたわけではない。むしろ、料理を通じて自分がやりたいことが見えてきたいま、それを叶える場は「店」以外にないのかもしれない。そう強く思うようになっていた。

さらに足元が揺らぐ出来事が起きる。東日本大震災だ。電気が制限され、流通がストップするなど都市の脆弱さを痛感したユカさんは、「東京以外の場所に住むという選択が現実のものになった」と振り返る。

自然がもたらしてくれるもの

どこに住むか。誰と暮らすか。何をして生きていくか。

私たちの人生は、この三つの要素で大きく変わってくる。ユカさんにはすでにふたつが揃っていた。浩介さんという最愛のパートナー。自分の店を舞台に、料理人として生きていくという明確なビジョン。

残るは、「どこで」その夢を実現させるか、だ。

東京で店を開けば、たくさんのひとが来てくれるかもしれない。でも、そのためにスタッフを雇わなければいけない。家賃も高い。何より、地産地消に価値を置く料理人にふさわしい場所ではなかった。

労働のための東京。遊ぶための自然。そんなふうに分けることなく、仕事も遊びも同じフィールドで楽しむことができれば、自分たちらしいライフスタイルが築けるのではないか。ユカさんは夫婦で何度も話し合い、八ヶ岳でレストランを開くことに決めた。料理人の道へユカさんを導いたのは、両親の影響が大きかったが、どこで暮らしていくかの大事な選択にも、彼らの存在は無縁ではなかった。

じつはユカさんが二十歳のとき、両親は東京の自宅を手放し、八ヶ岳でペンション経営を始めていた。休日、登山やスキーの帰りに両親のもとへ訪れることも多く、それが何よりの息抜きになっていることに気づきはじめていたという。その後、ふたりが意志を固めたのは、大好きだったお父さまが他界し、お母さまひとりで宿を切り盛りするようになっていたこともあった。

「おかあさんの近くで暮らしてもいいよ」

そう言ったのは、浩介さんのほうだった。歳を重ねていく母親の負担を心配する妻への配慮もあっただろうし、自然志向の強い彼のなかに「もう東京はいいかな」という気持ちも芽生えていたのかもしれない。

「八ヶ岳がよかったのは、自然がゆたかでありながら都心から車でも電車でも約二時間とアクセスがいいこと。都市とつながりながら、自然とともにある暮らしが実現できるのは、私たちにとって理想のロケーションだったんです」

東京を離れることに不安とか躊躇はなかったんですか？　私の問いに、彼女は白い歯を見せて笑いながら言い放った。「ぜんぜん！」。そしてこう続けた。

「ここに来たときは、自分の力ではないものに突き動かされ、波に乗ってここまできた感じだった。不安などひとつもなかったし、できるとしか思えなかった。だって、ここには都会にはないものがたくさんあるんだもの」

消費がもてはやされた時代がとっくに過ぎ去ったいま、私たちの価値観は大きく変わった。モノを増やすことより、本当に必要なもの、大切なものを見極めようとするようになった。何にお金を使うか、消費の本質を見つめるようになった。これまでとは違った流れのなかで、自分の手で何かをつくったり、発信したり、同じ志向をもつ者同士で小さなコミュニティを育てたりするようになった。

こうしたムーヴメントの中心に、自然志向があるような気がしてならない。山や海を眺め、森に分け入り、漂う木々の香りを嗅ぐ。湿った土にふれる。生き物たちのうごめきを感じる。そうやって自然に溶け込むことが、どれだけ私たちの心身を癒やし、満たしてくれるか。クリエイションを導いてくれるか。すぐそばの畑で収穫された、生命力あふれる野菜が手に入ることがどれだけ贅沢なことか。

自然がもたらすゆたかさを知るひとたちは、かつての山戸夫妻がそうであったように、都市生活を続けながら、週末は自然を求めて海へ山へと出かける。リフレッシュだけが目的なのではない。私たちが自然に向かうのは、テクノロジーや人工物に囲まれた生活で欠落しがちな、「人間も自然の一部である」という意識を取り戻したいからなのではないか。

だとするなら、ユカさんが言う「都会にはないもの」とは、八ヶ岳の美しい自然と、その自然が育む新鮮な食べ物、というだけではないだろう。『森の生活』で知られる思想家のヘンリー・デビット・ソローは、「私が森へ行ったのは、思慮深く生き、人生の本質的な事実のみ直面し、人生が教えてくれるものを自分が学び取れるかどうかを確かめたかったから」と書き残している（『森の生活』（上）、岩波文庫より）。

人生の本質的な事実――。そう。意識するにせよしないにせよ、私たちは自然から何か本質的なことを学び取ろうとしているのだ。少なくとも私の自然観はそうであり、だからこそ、活躍していた東京を何の躊躇もなく離れ、八ヶ岳で〝山の料理人〟となったユカさんの思考と、向かおうとしている先に興味があったのだ。

「見てください。きれいですよね、スカイライン」

夢中で話を聞いていた私は、ユカさんの言葉にハッとして窓の向こうに視線を移した。空が闇に沈もうとしている瞬間。南アルプスの稜線と空を分ける際だけが淡いブルーからオレンジのグラデーションを映している。

「夜の営業前のこの時間、こうして山を眺めるのが好き。毎日見ているのに、毎日違うんですよね。燃えるような夕暮れのときもあるけれど、今日は暖かったからかな。しっとりしてますね」

そう言って、残っていたビールを飲み干すと、「何か食べながら話しましょうよ。このままだと酔っ払っちゃう」と笑い、夕食の準備に取りかかった。

リズミカルな庖丁の音を聞きながら、私は八ヶ岳の山々が完全に漆黒に消えるまで外を眺めていた。やがて訪れる圧倒的な静寂。伊豆の海を見て育った自分にとって、闇夜に横たわる無言の山々は、ただそれだけで威厳があり、人間を寄せつけない神秘性は夜の海に通ずるものがあった。山と海。環境は違えども、都会では忘れがちな自然への畏怖を、私たちは日々、感じながら暮らしているのだ。

景色が浮かぶ料理

野菜が刻まれ、サラダが盛られ、フライが揚げられ、フライパンで何かが焼かれる。手際よく用意された晩餐は、彼女が信頼する生産者たちから直接仕入れた食材オンリーで構成されていて、それはまるで、八ヶ岳の季節の便りのようだった。

並べられた皿をひとつずつ説明してもらう。

「剛毛ルッコラとヤーコンとリンゴのサラダ。剛毛なんて言ったのは、ものすごく味が濃くてパンチがあるから。ヤーコンとリンゴのシャキシャキした食感と甘みに、ルッコラの苦味が合うと思って。即興です。

こっちはブロッコリーのディープフライ。素揚げのブロッコリーがすごく好きで、台湾のスパイスをアクセントに効かせてます。そこに洋梨とマスカルポーネチーズをのっけて、ドレッシングに甘みが欲しかったので梅酒を加えてみた。お酒苦手なひとはダメなやつですね、(笑)。

揚げ物をもう一品。春巻きは『DILL』の定番メニュー。季節の野菜をいろいろ入れられるからつくるのも食べるのも好きなんです。今日はじゃがいもとセロリとクリームチーズと味噌。春巻きのバリエーションは無限です。

メインディッシュは、八ヶ岳の湧水で三年かけて大切に育てられたニジマスのバターソテー。それにカリフラワーやケールなど季節の野菜をフライにしたものを添えて。ソースはプラムをベースにしたものです」

なんていきいきとした料理なのだろう。野菜が、魚が、フルーツが、豆が、生きている。食べてみて、さらにその実感は強まった。どの食材も弾けるようにフレッシュで、味わいが深い。これが、八ヶ岳の肥沃な大地と清らかな水、高原に降り注ぐ太陽が育んだ自然の恵みなのか。翌日、私はユカさんの案内で周辺の森を散策し、こんこんと湧きいづる名水地を訪れたのだが、歩きながら前日に食べたものが浮かんで仕方がなかった。ああ、ユカさんの料理は、八ヶ岳の風土そのものなのだ。改めてそう納得したのだった。

「私の料理って、レシピがあるようでないんです。ルールは、シーズナブルであることと、土地のものを使うということぐらいで、あとは素材ありき。同じ大根でも先週は水分が多くて甘かったのに、今週は味は濃いけど水分量はそれほどでもないとか。そのときどきで違う。だから必ず、生の状態でまず味見します。そのうえで、やっぱりこうするほうがおいしいとなったら、予定していた調理法を変えてしまうこともある。でも、それが本当の〝旬〟を扱うということなのだと思います」

レシピにとらわれない自由な発想は、調理以前にそれぞれの素材のポテンシャルを見極めることを重要視しているからにほかならない。彼女が生の野菜を少しちぎって味見する様子は、ひとつの野菜とコミュニケーションしているかのようだ。

ユカさんが野菜料理にこだわる理由。それは母親の影響や玄米菜食を実践したこともあるが、五十八歳で亡くなった父親の姿を見ていたことも大きい。癌だった。みるみる食欲が落ち、筋肉質でがっしりした体軀は痩せ細っていった。どうしてもあげられない悲しみのなか、強く思ったことがある。

「食と健康は密接につながっている。健やかに生きるためには、健やかな食べ物を食べることが大事なんだ」

健康的な食事は、野菜抜きには実現できない。

その信念が、野菜料理の探究と愛情を深めることにつながった。野菜を理解することは愛そのものであり、志をもって農業に従事する生産者に注がれるのも信愛である。

現在、『DILL』で扱っている野菜は、地元の北杜市で自然農法（無農薬・無化学肥料）に取り組む三生産者からわけてもらっている。ひとりは「Crazy Farm」の石毛康高さん。もうひとりは、最近つきあいが始まった「フウシカ・オーガニックファーム」の森夫妻。それに、愛媛で浩介さんのお父さんがつくる無農薬の野菜たち。

「私たちは石毛くんのことが好きなんです。彼はすごくまじめで、一生懸命つくっていて、ものすごくおいしい。味が濃くて、もう七年も彼の野菜を食べているのに、届けてもらうたびにそのおいしさに驚いてしまいます。彼の野菜は美しい。形が整っているというのではなく、生命力が爆発しているようなエネルギーを感じる。野菜に力が宿っているのは、森さんたちのも、おとうさんのもそう。みんな環境のことをよく考えていて、土地に負荷をかけないようにと持続可能な農業を実践している。サステナブルであることは、養鶏家さんもニジマスの生産者さんたちにも言えること。彼らの志、哲学、意欲に、DILLは支えられているんです」

ユカさんは生産者のことを親しい友人のように話す。石毛くんの野菜。大島さんのニジマス。徳光さんの卵。渡辺さんのすもも。えみちゃんのお豆……。

「結局、ひととひとじゃないですか。ひとがつくってひとに渡す。都会ではむずかしいかもしれないけど、ここでは価値観を共有できる者同士がつながれる環境がある。

彼らとはよくいろんな話をします。土のこと、気候のこと、そのときどきの出来映えであったり、生活や家族といったプライベートなことも。つくり手のことがわかると、素材への愛着もわいて、お客さまへの説明にも生きてくる。つくっているひとを知って、とても大事だなあと思った。あのひとが育てている卵だから安心だとか、彼のつくっている野菜だからおいしいに決まっているとか」

食べるということは、自然のおかげ、つくるひとのおかげ、料理するひとのおかげ。当たり前だけど忘れがちなことを、ユカさんの料理は思い出させてくれる。それは彼女のつくる料理が、地域のつながりのなかで生み出されるものだからだ。

「これからはもう少し地域のコミュニティとつながって、サステナブルなアクションを起こしていきたい。北杜市のレストランがみな、コンポストを導入して堆肥を農家に返せば廃棄物を大幅に減らすことができる。農業の過程で出る野菜くずを養鶏所に持って行けば、それを鶏が食べて、卵を産んで、鶏糞がまた堆肥になって農家に戻り、というみんなが助かる循環ができる。そんなハッピーなサイクルをつくるのが目下の目標ですね」

今後について尋ねると、そんな答えが返ってきた。

料理は好きだけど、料理と同じくらい、自然のなかにいる時間を大事にしているという。環境汚染によって、その自然が痛めつけられているのを黙って見てられないのだ、彼女は。

「それにしても行動しているキーパーソンは女性ばかり。男性は保守的なのかなあ。あまり積極的ではないですね。だから女が動かにゃいかん！　来年はパーマカルチャーの師匠に教わって、隣りの川で発電できないか挑戦してみるつもりです」

やっぱり彼女は、行動する女将だ。

今日、ごはん食べに来ない？

大塩あゆ美『あゆみ食堂』諏訪

手の料理

ちぎる。あえる。まぜる。つつむ。むすぶ。

手というものは、なんと優秀な道具だろうか。

私は目の前でよく動きまわる手を眺めながら思う。ときにスピーディーに、ときにやさしく、ときに確認するように。くるくると表情を変えながら動くふくよかな手は、まあるいこぶしのえくぼがおいしいものを約束するしるしのようだ。

手がおいしさをつくりだす。

そう気づいたのは、目の前でハンバーグのたねを力強くこねている『あゆみ食堂』の店主、大塩あゆ美のごはんを食べたときだった。

「餃子もハンバーグも、買ってきたひき肉を使うより、自分で叩いてミンチにしたほうが断然おいしいの！　あと、粘りが出るまでしっかりこねるのも大事！」

三十四歳の料理人は、元気よく説明しながらも、仕込みの手を休めない。

ぎゅっ、ぎゅっ、ぎゅっ。クリームパンのような手が肉に吸いつくように混じり合う。「このくらいでいいかな」。粘り加減を確認すると、パンパンパンと数回、両手をつかってキャッチボール。なかの空気を抜くと、手のひらと手のひらの間で器用にまるめていく。

「これは明日のランチ用の煮込みハンバーグ。スパイスを効かせたトマト煮込みにしようと思って。仕込んでいたのが全部なくなっちゃったから、あれもこれもやっとかないとだ〜」

この日、真冬の平日だというのに、『あゆみ食堂』は昼も夜も満席だった。東京だったらそれほど驚くことではないかもしれない。でも、ここは長野の諏訪だ。ＪＲ上諏訪駅から徒歩十分、東京へと続く甲州街道沿いにある彼女の店は、決してひとの往来が賑やかな場所ではない。にもかかわらず、遅めのランチタイムに到着して驚いた。一〇人座れるカウンター席も、小上がりのグループ席もいっぱい。雑誌で見かけるようなおしゃれな女の子たちばかり。地元客というより、東京や遠方からわざわざ目指してやってきたという雰囲気だった。

どんな店も、開店したばかりは混んでいることが多い。店主の友人、家族らがお祝いや応援に駆けつけるのに加えて、新しい店ができたから行ってみようという客もいるからだ。

諏訪に『あゆみ食堂』がオープンしたのは、二〇一九年十月。私が訪れたのは、それからふた月ほど経ってからのことだったが、昼夜満席の理由は、そうした一過性のものではない気がした。

「いやいや、今日みたいな日はめったにないから！　昨日もその前の日も静かすぎてどうしよう〜って不安になっていたくらい」と本人は否定するけれど、彼女がここに至るまでに培ってきた経験と、多くのひととのつながりを知る私は、大塩あゆ美という若き女将がもっている「実力」がそうさせていると思えてならなかった。

この子は何かやるだろう

大塩さんは一九八六年、河津桜で有名な伊豆の河津町で生まれた。実家は、一〇〇人ほど泊まれる旅館を営んでいた。いまは閉館しているが、幼いころから、家のなかにいろんなひとが出入りしていて、広い厨房でたくさんの料理がつくられていく様子や、客たちがごはんを食べているときの幸せそうな笑顔をずっと見て育った。

「ひとが集まるところに料理がある」。そんな原風景が心の奥にあったという。だが、彼女が料理に目覚めるのはもっと後のことだ。

「小学生ぐらいのときから洋服がすっごく好きで、高校生のときに通っていたセレクトショップがあったんです。ズッカとかツモリチサトとか、コム・デ・ギャルソンとか好きなブランドを扱っていた。高校生のお小遣いではカットソーを買うのが精一杯だったけど、並んでいるお洋服を手にとって眺めているだけでも夢みたいだった。パリコレとかのコレクションで、デザイナーが最後に観衆に向かってお辞儀をするじゃないですか。私、それに憧れてたんですよね。笑っちゃうけれど。それで、将来を考えたときに服飾に関わる仕事ができたらなあと、東京の文化服装学院に進学しました」

ところが、入学して早々に挫折。立体裁断でカッコイイ服をつくる同級生のように、どうしてもできない。つくりたいとも思えなかった。あまりに技巧的で、自分の性質からはかけ離れているような気がしたのだ。なんとか卒業だけはしたが、就職はうまくいかず半年で辞めてしまった。

迷路のなかをさまよう二十歳の大塩さんに出口を示したもの。それが料理だった。

幼少期からアトピー性皮膚炎に悩まされてきた。初めて親元を離れて暮らし、やりたいことが見つからないまま就職。無意識のうちにストレス過多になっていたのだろう。痒みと痛みに苦しむ娘を見るに見かねた母親は、大塩さんを鎌倉の精進料理塾「不識庵」へ連れ出した。そこで「心身一如」という仏教の言葉を知る。主宰する藤井まりさんの「心と体はつながっていて、食事は体と心の両方に影響を及ぼす。だから何を食べるかはとても大事なのよ」という言葉が心に残り、翌日から食事に気をつけるように。動物性のものを控え、野菜や豆類などで満足できる工夫をした。そこで初めて、料理の楽しさに目覚める。みるみる体も楽になり、食事もよりおいしく感じるようになったという。

ほぼ一カ月、夢中になって料理を続けるうちに、「服飾より料理のほうが仕事にできるかも」と気づく。未経験者でも受け入れてくれる飲食店を探し、外食企業が新規出店する野菜中心のデリカッセンのキッチン補助として入った。だが、自分のごはんをつくるのとはわけが違う。現場では、段取り、スピードが求められた。誰も教えてくれない世界で、指示を待っていると「自分で考えなさい!」と叱られ、要領がつかめずにいると、「遅い!」と怒声が飛んできた。さんざん怒鳴られ、泣いてばかりの日々。それでも、辞めたいとは思わなかった。料理が好き。その気持ちは揺らがなかった。

手元に『調理場という戦場』(幻冬舎文庫)という本がある。数々の料理人に影響を与えてきたフランス料理「コート・ドール」のシェフ、斉須政雄さんの自伝的仕事論だ。ページを開くと、こんなプロローグから始まっていた。

「世代が離れていても、時代が変わっても、「この子は、何かやるだろうなぁ」という人が、必ずいます。

経験がなくて、波止場でドキドキしながら海を見つめている。海の向こうにいったい何があるのかを、まだ知らない。海に乗り出したくて、ただウズウズしているだけ。

……そんな子の眼の中にも「あ、この子はきっとやるな」という印が、もうすでに浮き出ている」

「この子は何かやるだろう」。冒頭を読んだとき、私は初めて会った日の大塩さんを思い出していた。

出会いは、伊豆下田だった。自分の話になってしまうが、私は文筆業のかたわら、生まれ故郷の下田で地元食材を使ったワイン食堂を経営している。もともとは両親が洋服屋を営んでいた場所で、古い蔵を改装したなまこ壁（漆喰の白と瓦の黒が特徴の伝統工法）の建物が子どものころから好きだった。四年前に親が引退することになり、この建物を手放したくない一心で店を始めることになった。そこに来てくれたのが、隣りまち河津出身の大塩さんだった。高校生のときに通っていたという店は、なんと私の両親のブティックだったのだ。

当時、彼女は三十歳になるかならないかの年齢だったと思う。アシスタントを務めていた料理家たかはしよしこさんから独立し、「あゆみ食堂」の屋号でケータリングや出張料理を中心に活動していると教えてくれた。

「おじさん（注・私の父）の店が大好きだったから、食べもの屋さんになったと聞いてすっごく嬉しかったんです」

元気いっぱいに話す大塩さんは、太陽を浴び、はちきれんばかりに育った夏野菜のようで、十五歳年上の私にはただただ眩しかった。八重歯とえくぼにあどけなさが残る一方で、達観した落ち着きもあって、若さと大人が混在する独特の雰囲気が私を惹きつけた。特に印象的だったのは、黒々とした大きな瞳に宿る、強い光。「これから何かをやる」予感がして、以来、「あゆみ食堂」ウォッチャーとなった。

料理の〝気〟

「私には料理だ！」と飛び込んだ食の世界。デリカッセンの店で半年調理技術を学んだ後、移動販売カフェでパンやお菓子づくりなど、料理の幅を広げていった。そうするうちに、運命的な出会いが訪れる。

母親といっしょに行った精進料理の先生から、「イベントで料理をするので手伝って」と頼まれた。その会場で紹介されたのが、料理家のたかはしよしこさんだった。

「よしこさんは、とにかくカリスマ性がある。全国の生産者さんたちとつながってい て、みなさんから届けられる季節の野菜や魚を、いきいきとした料理に仕立てるのが素晴らしかった。いろんな国の食文化や調味料をミックスさせた遊び心が、日本の食材の魅力をよりいっそう引き立てていて、このひとに学びたいと強く思った。料理の仕事がしたいんです！　ぶつけてみたら、すぐに雇うことはできないけど、興味があるなら一度来てみる？　と誘ってくれて。アトリエに行っていろいろ話しているうちに、価値観や好きなものが似ていて意気投合。じゃあ働いてみるか！　ってなって、アシスタントとして仕事をさせてもらうように。二十三歳から三年半の経験。でも、十年ぐらいに感じる。とても濃密な時間でした」

たかはしさんから学んだことは？　尋ねると弾けるような返事が返ってきた。

「ああもう全部！　よしこさんのところに行かなかったら独立しなかったと思うし、自分で店をやろうとも思わなかった。いちばん影響を受けたのは、料理に対する姿勢。どうしたらひとが喜んでくれるか。いつも考えていて、それが料理に生きている。心まで満たす料理というのは、技術ではないところから生まれる。むしろ、技術の部分は誰がやってもそんなに違わないと思う。それより、ひとつひとつのことに向き合うベーシックな部分が大事な気がするんです。

よしこさんはとにかく楽しそうで、それがすごく新鮮だった。日本人って仕事は苦労するものみたいなイメージがあったんだけど、いっつも笑ってる。鼻唄でも歌いながら働いているよしこさんを見ていたら、なんだ、仕事って楽しんでいいんだなと。力みが抜けました」

料理には〝気〟がある――。これもたかはしさんから教わったことだ。

「〝気〟が入っていない料理がいちばんダメ。よしこさんはよくそう言ってました。どんなに高級な食材を使って、美しい器にきれいに盛りつけられた料理であっても、なんにも感じられないことってありませんか？　おいしいかおいしくないかでいったら、おいしいのだけれど、入ってくるものが何もないというか。〝気〟っていうのはそういうことだと思う。つくり手の想い、喜んでもらいたいとか、このとびきりの食材を味わってほしいとか、生産者への感謝とか。あるいは、どれだけ楽しんでつくったかとか。食べるという行為は、料理したひとのそういう気持ちまで体に取り込むことなんですよね」

ひとの心に残る料理をつくるには、楽しむのがいちばん。ひとつひとつの工程を丁寧に、〝気〟を込めながら行う。食べるひとのことをイメージしながら、喜んでもらえるように、おいしく食べてもらえるように。そう心がけていれば、想いは必ず食べ手に伝わる。

まっすぐな誠実

たかはしさんとともに行動し、その背中を三年半にわたって見つめてきた大塩さんの話を聞きながら、私はその前日、初めて訪れた『あゆみ食堂』の夜のことを思い出していた。

満席のカウンターには、東京から彼女の店を目当てにやってきたという二十歳そこそこの女の子と、地元の方と思しき五、六十代のご婦人ふたり組、日本酒の「真澄」をおいしそうに飲んでいるおじさんなどが、大塩さんの料理を食べながら楽しそうに過ごしていた。漏れ聞こえるのは、「おいしい」「うまいね、これ」といった歓喜の言葉。みんなが幸せそうな笑顔を浮かべていて、いいねいいねとにやつきながら、キッチンの大塩さんに目を向けてハッとした。客の楽しそうな様子をよそに、真剣な眼差しで庖丁を握っていた。そして悟った。客たちのテーブルには注文した料理の多くがまだ届いていなかった。大塩さんはそれらの料理をつくることに集中していたのだ。ひとつひとつの工程に、〝気〟を込めながら。「コート・ドール」の斉須政雄さんは、

「誠実であることは、料理人にとって最も重要な資質」と語っている。私はこのとき、大塩さんに「まっすぐな誠実」を見た。

すべての料理を出し終え、会計を済ませた客から「おいしかった。また来ますね」と声がかかると、大塩さんは初めて安堵の表情を浮かべ、「本当ですか？　ありがとうございます!!」と晴れやかな笑顔で見送った。

いつもの元気印に戻った大塩さんは、あるおじさんの話を聞かせてくれた。

「近所のゲストハウスに泊まった六十代ぐらいのおじさんがふらっと来てくれたんです。うちの店で大丈夫かな、とちょっと心配だったんだけど、お向かいの宮坂醸造さんが出している「ＭＩＹＡＳＡＫＡ」というお酒が気に入ったみたいで、明日、朝六時に出るんだけど、どうしても買って帰りたいって言うの。ホームページを見たら、ネット通販しているみたいだったので一応教えてあげたけど、おじちゃん、ネットでわざわざ買ったりしないかもと思ったり。なんか中途半端なまま、じゃあ帰るねとなったときに、自分は千葉で農業をやっていて、茄子を送りたいんだけどどうかな、なんて言ってくれて。茄子大好きなので嬉しい！　と喜んだら、本当に送ってきてくれたんです。「もう名残も名残なので皮が硬いかもしれないけど、よかったら使ってみて」という手紙が同封されて。最後に「台風の被害にあってひどく落ち込んでいたけれど、あなたのおかげで頑張る元気をもらいました」と書かれていたんです。お店をやっていて本当によかったと思う瞬間ってこういうとき。何度も経験しているけれど、とりわけおじさんの手紙は嬉しかったなぁ」

大塩さんのごはんには、ひとを元気にする〝気〟が宿っている。私は彼女の料理を何度も食べているけれど、いただくたびに元気のかたまりを注入してもらった気分になる。それは、本人の想いが料理のなかに閉じ込められているからなのだろう。

「大変なことや悲しくなるような出来事がニュースで流れるたび、私はいまここにいて何もできないと思っていたんです。だけど、おじさんのおかげで、私の料理を食べておいしいと感じるだけでも、その瞬間は幸せになれるんじゃないかと考えられるようになった。私にできるのは、自分の目の前にいるひとに集中して、一生懸命料理をつくること。その積み重ねでしか、ひとを元気にすることはできないんだとわかった。何かしようじゃなく、目の前のことを誠実にやり続ける――。私には、やっぱり料理なのだと、回り回ってシンプルな答えにたどりつきました」

「おいしいものだけ、つくり続けなさい」

元気いっぱいで、たくましそうに見える大塩さんだが、実際はそんなに強靭ではない。むしろ、やわらかな感受性は、目にするもの、聞こえてくるもの、あらゆる気配を、スポンジのように吸収してしまう。諏訪で店を構える前、彼女がいた場所は、東京だ。しかも、たかはしよしこさんという著名な料理家のアシスタントとして、東京最先端のカルチャーシーンを動かしていたクリエーターたちと接する機会も多かった。刺激的な毎日だったが、自分とのあまりの落差に劣等感を抱かずにはいられなかったという。彼らはみなそれぞれに強みをもっていて、その才能を開花させていた。私には何があるのだろう……。考えてもひとつも浮かばなかった。

「よしこさんの料理は、コンセプチュアルなアートのよう。ああいう世界観をつくる料理に憧れていたけれど、自分がやりたい料理かというとちょっと違う。じゃあ私の強みって何だろう。どんな料理なら自分を表現できるのだろう。このままアシスタントで一生終えるのはイヤだけど、独立してひとりでやっていけるのだろうか……」

悶々とした不安と焦燥のなかで、料理をしているときだけは安心できた。

「アシスタント時代、都内の小さなアパートに住んでいたのですが、しょっちゅう友人を招いて食卓を囲んでいました。ホームパーティーなんて華やかなものじゃなくて、もっと普通の、家庭で食べるごはん。友人だけでなく、私を知らないひとにも食べてもらいたいと思って、友だちに誰か連れてきてと頼んだりもしていた。そのうちのひとりから、個展を開くので週末の二日間だけ出張料理をしてもらえないかと相談されたんです。初めての私に対するオファー。ドキドキするけれど、やってみたい！　と即答していました」

そして、初めてお金をもらって料理をつくった。見ず知らずのひとたちが自分の料理を食べて楽しそうに笑っている。おいしかったと言ってくれる。その様子を見て、独立を決意。二十六歳だった。

屋号の「あゆみ食堂」は、自宅に友人たちを招いてごはん会を開いていたころから頭にあった。ケータリングにしても出張料理にしても、よそいきの外食をつくりたいとは思わない。凝った料理、珍しい食材より、家にいてリラックスしたなかで囲む日常の食卓に価値を見出していた。食べるとホッとするごはん。気持ちがゆるむごはん。そんな普段着のごはんを、どんな形態であれつくっていきたい。

いつの間にか、自分のスタイルができつつあった。

「家で食べるふつうのごはんが好き」

だから屋号も気軽な「食堂」がいい。自宅で開いていたごはん会の延長だから、自分の名前をつけて。

そうして「あゆみ食堂」が生まれた。

しかし、「独立」といっても、単に辞めただけで仕事の見込みが立っているわけではなかった。ふたたび悶々とした日々に。アシスタント時代から続けていた築地場外市場の乾物屋のアルバイトが週三日あるだけ。あとは、たかはしさんの出張仕事のお手伝いが不定期で入るくらいだった。

ごくわずかな収入のギリギリ暮らしは、東京では途方もなく心細かっただろう。

「不安で押しつぶされそうになると、母によく電話して泣きごとを言ってました。お金もないし、仕事もないし、もう東京にいられないかもしれないと、弱音を吐いてばかり」

母親は、旅館の元女将だ。経営の苦労は骨身に沁みてわかっていただろう。そして、商売というものの本質もまた、見通せていたに違いない。弱気な娘の話を黙って聞くと、いつも同じ言葉を繰り返した。

「おいしいものだけ、つくり続けなさい」

「そんなことといっても、お金がないんだよ……」半泣きで食いつくと、

「お金なんてすぐについてくるものじゃないのよ。でも、おいしいものをつくることに集中していたら、お金は必ずあとからついてくるから。だからそんなにお金を気にするのはやめなさい」

いつ電話しても、母親の助言は同じ。静かに、でも確信のある諭し方だった。私は彼女のお母さまにもお会いしたことがある。当時の娘にどうして大丈夫と断言できたのか。そう尋ねると、そんなこともあったわねえと笑ってこう教えてくれた。

「あの子の料理、本当においしいと思ったから。昔から料理をしているときがいちばん楽しそうだった。だから、きっとお客さまがついてきてくれる、そう信じていたんです」

「楽しい」の魔法

大塩さんは母親の言葉を頼りに、とにかくおいしいものをつくることに全力を注いだ。仕事がなくても、自宅にひとを呼び、料理をつくっていっしょに食べることを、多いときで週に三、四回、ライフワークのようにして続けた。

「今日、ごはん食べに来ない？」

そんなふうに気軽に誘うと、友人が別の友人を連れてきて、見知らぬひと同士が大塩さんの自宅「あゆみ食堂」で「はじめまして」と食卓を囲む。そのうち、自然と会話が生まれ、食事が終わるころにはすっかり打ち解けて、古くからの友人のように和やかで楽しい空気になって帰っていった。大塩さんはそんな温かな景色を見るのが大好きだったという。

料理は決して手の込んだものではない。

「その日、ある食材を使って即興でつくっていた。でも、そのときの気分や、集まったみんなの顔を見ながら、自分もリラックスしてつくった料理のほうがのびのびしていておいしい気がした。ああ、こんなふうに料理ができるのっていいな、楽しいなと、自分の心が喜んでいる。最終的に、料理をおいしくするのって、楽しいとか嬉しいの、うきうきする気持ちが大事なんだと気づきました」

「楽しい」は、その後の『あゆみ食堂』の根っことなる大事な要素。アシスタント時代から十年にわたって続けてきた、「自宅でごはん会」が大塩さんの原点となり、自らを耕す大切な時間となった。

やがて、仕事が回り出す。大塩さんのお宅で料理を食べたアーティストから展示会でのケータリングを頼まれたり、ギャラリーからお菓子をつくってほしいとオーダーを受けたり。さらに、大学同士の共同プロジェクトの懇親会で、八〇人分のケータリング仕事を成功させたことがブレイクスルーのきっかけとなった。つぎつぎとケータリングや出張料理の依頼が舞い込んでくる。東北や九州など、遠く離れた地域からも「あゆみ食堂」の料理が食べたいと熱烈リクエストされる人気料理家に。

一気に、人生が躍動し始める。

「私の人生には、このひとに出会わなければいまの自分はないと思う重要人物がふたりいます。ひとりは、たかはしよしこさん。そしてもうひとりがグラフィックデザイナーの山野英之さんです」

書籍、ロゴマーク、サイン、パンフレットなど幅広いデザインを手がける山野さんは、大塩さんが出店していた「あゆみ食堂」に来てくれたことがきっかけで出会った。飲みに行ったり、事務所に遊びに行ったりするなかで、大事な部分が共通していて親しくなった。

あるとき、山野さんから「毎日夜遅くまで仕事をしているスタッフのみんなにおいしいごはんを食べさせたい。週に一度でもいいからお願いできないかな」と相談される。事務所は大塩さんの自宅から電車で十分ほどのところにあった。喜んで引き受けた。週に一度、約一〇人分の夕食を続けていると、同じ建物に入居している建築事務所から「うちもお願いしたい」と依頼され、一気に二〇人前の食事を定期的につくる仕事に発展。それから五年、大塩さんが諏訪で店を構えようと決めるまで、毎週、デザインと建築に携わるクリエーターたちにごはんをつくり続けた。

本当にやりたいことって？

つぎつぎ舞い込む料理の仕事。もう、来月の家賃が払えないかも……と母親に泣きついていた娘ではなくなっていた。コンパクトだけれど、使い勝手よく工夫された愛しのキッチンに早朝から立ち、気づけば夜が更けていた。そんなめまぐるしい毎日を送るうちに、少しずつ、何かがズレていった。

「料理の世界に飛び込んだころは、よしこさんのように楽しく仕事がしたいと思っていたのに、いつしか仕事、仕事で、仕事に飲み込まれてしまっている自分がいた。お金をいただくからやらなくちゃという義務感が生まれていることに気づき、これはマズイ、と思いました」

独立から五年。別の意味でも限界を感じ始めていたという。

「最初は、東京を拠点に、ケータリングや出張料理をベースに仕事をしていくつもりでしたが、いつしか自分が本当にやりたいことがケータリングという形態ではなくなっていたんです」

たかはしさんのアシスタント時代から全国の生産者と知り合い、彼らの育てた新鮮な季節の食材にふれながら料理をつくっていくなかで、目の前にあるフレッシュな食材を、いちばんおいしい状態で食べてもらいたいと思うように。できたての湯気が上がるパスタ、じゅわじゅわと音がきこえる揚げ物、ドレッシングが絡み合うパリパリのサラダ……。

自分がやりたいことを表現できるのは、「お店」なのかもしれない。自然とそう思うようになっていた。

大塩さんに出会ったばかりのころ、活躍目覚ましい彼女に聞いたことがある。

「こんなに料理がおいしくて、たくさんのファンがいるのに、自分でお店をやろうとは思わないの？」

大塩さんは少しの迷いもなくこう言った。

「お店をもちたいっていうのは、ないかな」

意外だった。料理は彼女の人生のまんなかにある気がしていたからだ。

それから二年近く経った二〇一八年の暮れ。大塩さんから「お正月に重大発表があります！」のメッセージが届いた。

もしや結婚の報告⁉　いま思えば勘違い甚だしいドキドキのなか、年が改まった一月二日、伊豆に帰省した大塩さんと会った。彼女は開口一番、すっきりとした顔で、「諏訪でお店を始めます！」と報告してくれた。驚かなかった。むしろ、ようやくたどりついてよかったね、そんな感想だった。でも、なぜ諏訪？　活躍していた東京ではなく？　の疑問には、「店をやるつもりはない」と言っていた三年前からここに至るまでの間に起きた出来事を聞く必要があった。

東京でもなく伊豆でもなく

漠然と「お店をやってみたい」と思うようになったものの、具体的なイメージはまったくなかった。店を開業するための資金がゼロだったのだ。実家の旅館は数年前に経営難から廃業に追い込まれていた。親に頼ることはできない。開業資金を貯めるために、もう一度どこかの飲食店で働くことも考えたが、いまさら雇われて仕事をするのは無理だ。いったんケータリングの限界を見てしまった以上、店を構えずに料理の仕事をずっと続けていける自信もなかった。出口のない堂々巡りが三年続いていた。

やがて光が差し込む。それまでまったく縁もゆかりもなかった長野県諏訪市との出合いが彼女の人生を大きく動かした。

この地を拠点に、建物の解体時に出る廃材を引き取り、新たな建築建材として活用する「リビルディングセンタージャパン（略称リビセン）」から、一日限定の出張「あゆみ食堂」を依頼されたのがきっかけだった。その日、三〇人以上ものひとが集まり、用意していた料理は早々に完売。「諏訪ってすごい。感度の高いひとたちが多いんだな」と驚いた。近郊で採れる野菜のみずみずしさも魅力的だった。

「透明感があるのに、味が濃くてうまみもあり、味がすーっと体になじむようなおいしさ。こんな野菜を日々、扱えるのは贅沢だなって思いました」

以後、三カ月に一度のペースで諏訪に向かい、出張食堂を行った。通ううちにリビセンの代表である東野唯史、華南子夫妻との信頼関係ができた。まわりの個人店のオーナーたちとのつながりもできてくると、諏訪での時間がよりいっそう楽しみになった。春夏秋冬、すべての季節の諏訪を経験し、もっともっとこの土地の景色や四季折々の野菜を直に感じたい。料理をしてみたい。そう強く思うようになっていった。

あるとき、地元で人気のうどんとパンの店を営む女性に、そんな胸の内を打ち明けると、「諏訪でお店やればいいじゃん」と言われる。「いやないです、ないです」とその場では否定したものの、東京にいるときも「諏訪でお店」のワードが頭から離れなくなっていた。ここでの営業を何度もシミュレーションし、やれるかもしれない、挑戦してみようと決心を固めると、リビセンの華南子さんに真っ先に意志を伝えた。

「私、諏訪でお店をやることに決めました」

東京でも、ふるさとの伊豆でもなく、一年前に初めて訪れた地、諏訪が「あゆみ食堂」リアル店舗のスタート地点となった。

「そこからはもう、一歩外に出たら坂道を転がるしかなかったみたいに、つぎつぎと決まっていった。たぶんそういうタイミングだったんだと思う。悩み続けた三年間があったからこそ、いまだ！　ってなったら一気に動けた」

店舗は、「真澄」の宮坂醸造がある向かいの空き家物件をフルリノベーション。空間デザインは、諏訪との縁を結んでくれたリビセンに依頼した。もとは住宅だった土間のある物件。古いものを活かし、新しい価値を生み出す彼らの理念に共感していた大塩さんは、解体時に出た古材をできるだけ活用し、土間も残そうというアイデアに賛同。「リビセンに任せておけば怖いものなし！」と、開店資金の一部をクラウドファンディングで支援してもらうための準備や、什器や設備の調達など、開店前にやらなければならない山積みの準備に取りかかろうとしたその矢先、華南子さんから待ったがかかった。

「店主が店づくりに参加することに意味がある。あゆ美ちゃんも大工さんといっしょに施工に加わって」

これには最初、まったく共感できなかったという。不慣れな自分がやるより、プロに任せて自分は別の仕事をして貯金をしたほうが有益なのでは、と。「私が入る意味、できた。

あるのかな」。気が入らないまま手を動かしていると、華南子さんの鋭い言葉が飛んできた。

「あゆ美ちゃんが入るか入らないかでどれだけお金が違ってくるかわかる？　大工さんがやらなくていいところをあなたがやればそれだけ人工（にんく）が浮くし、開店も早くできる。それができないんだったらお金もかかるし、開店も遅れちゃうけど、無理なら仕方がないね」

リビセンの店づくりは、店主にとって予想以上にスパルタだった。ちょっとでも気を抜こうものなら、「あゆ美ちゃん、やる気なさ過ぎ」とパシリ。

でも、厳しいセンセイがいたおかげで、リノベーションが完成するまでの約三カ月間は彼女にとってかけがえのない時間となった。リビセンの社宅に住み込み、毎日、朝からペンキを塗ったり、壁にヤスリをかけたり、大工さんといっしょに埃まみれになりながら夢中で手伝った。

「振り返ると、この土地と縁をつくるための三カ月だったんだと思います。自分が施工に参加しなかったら、いまほど店のことを大事にする気持ちになれなかったかもしれません」

彼女の信念

二〇一九年十月二十一日。諏訪に『あゆみ食堂』が産声をあげた。

オープン初日、十二時に看板を掲げると、待ちわびていたひとたちが「おめでとう！」の祝福とともに来店。二〇席ほどの店内はあっという間に満席になった。リビセンのメンバー、酒蔵の蔵人、近所の高校の男子学生たち、東京から駆けつけたファン……。十四時の閉店を待たずに、たっぷり準備していたお昼の定食はすべて売り切れに。数日前から泊まり込みで手伝いにきてくれていた母親とスタッフの女性と三人、幸先のよいスタートに喜びを分かち合った。

あれから一年以上が過ぎた。よちよち歩きだった『あゆみ食堂』は、一日一日、日を追うごとに、たくましく成長していった。定食からスタートしたランチメニューは、ひと皿のなかでいろんな味が少しずつ混ざって味が変化していくのを楽しんでもらいたいと、ワンプレートスタイルに。

彼女のごはんは、どこか懐かしい気持ちになる家庭料理のテイストを大切にしつつ、スパイスやハーブづかいの妙による異国の風が漂っていて、ずっと食べていたい「やみつき感」が魅力だ。そんな懐かしさと新しさのコンフュージョンを楽しみに、地元はもちろん、首都圏や県外からたくさんのファンが諏訪を目指して訪れていた。

状況ががらりと変わったのは、新型コロナウイルスの感染が急速に広がった二〇二〇年四月のはじめ。持ち帰り用のお弁当販売のみの営業から、約一カ月の完全休業期間を経て、六月からは店内での飲食も再開した。

休業中、ひとりで諏訪の自宅にこもっている大塩さんとリモートで話した。不安だったり、心細かったりするのではないかと心配していたが、彼女はとても前向きに現状と、これからを見つめていた。

「開店してからずっと突っ走ってきたから、いまはありがたく休ませてもらっています。松本のりんご農家さんの手伝いに行ったり散歩をしたり、韓国ドラマにいまさらハマってみたり（笑）。私にとってこの休みは、ご褒美みたいな時間。生活のリズムをスローダウンして、じっくり考える時間もできた。いまは芸の肥やしを耕すときだととらえています。

ずっと休んでいると不安じゃないかとか、通販始めたらいいじゃないとか言われることもあるんですが、自分の信念と照らし合わせたとき、『あゆみ食堂』としてオンラインショップをやる理由が見当たらなかった。これからの時代、自分の軸をしっかりもっておかないと、刻々と状況が変わっていくなかで、振り回されて終わってしまう気がします」

『あゆみ食堂』の軸。大塩あゆ美の信念。

それは、目の前のお客さまに、できたての料理を食べていただくこと。出口の見えない暗闇のなかで、料理をつくることだけをまっすぐに信じ、自宅に友人たちを招いて料理をふるまっていたあの時間。同じごはんをいっしょに食べ、おいしいねの笑顔が生まれ、みんなが楽しそうに過ごしていたあの和やかな空間。大塩さんの胸には、たくさんの仲間たちとの、おいしくてあたたかい記憶が閉じ込められている。だからきっと、彼女はこの先何があっても信念を貫き、店に立ち続けるに違いない。

「今日、ごはん食べに来ない？」

気軽に、仲間たちを誘っていたあのころと、大塩あゆ美のスタンスは、いまもこれからも変わらない。

一杯のラーメンが永遠になるとき

宮代とよ子

『ししまい』大磯

味噌汁のようなラーメン

唯一無二のラーメンがある。

塩、醬油、味噌、とんこつ……どんなカテゴリーにも属さない。麵と、スープと、シンプルなトッピング。構成しているのはそれだけ。いたって正統なラーメンだ。だけど、スープをすすり、ずずずっと麵を食べてみると、誰もが未体験の独特な味わいに、ちょっと困惑する。私もそうだった。

「こんなラーメン食べたことない」

それが初めての感想。何味と言いがたい、動物性のものと和だしのうまみに、野菜由来の甘みが加わった深い味わいの、うっすら白濁してとろみのあるスープ。生成り色したストレート麵の、つるりとした喉ごしのなかに小麦の風味を感じるユニークな食感。とても個性的で、どこかの味をなぞった気配が一切感じられなかった。

唯一近いと思ったのは、子どものころ、母親が毎朝つくってくれた味噌汁だ。素朴で、ほうっと安心できる、懐かしの味。そうだ。これは、母の味噌汁のようなラーメンだ。

夢中で麺をたぐり、れんげを使うのももどかしく、どんぶりのふちに口をつけてスープをすすって完食。一・五人前はあろうかというボリュームだが、重くはない。心地のよい満足が余韻として残った。これで、一杯五〇〇円。トッピングには分厚くカットされたしっとりやわらかな蒸し鶏に、くったり甘いキャベツものっている。イマドキ破格すぎやしないか。

現実に戻って、顔を上げると、大鍋から立ちのぼる湯気の向こうで、ふんわりとした微笑みで麺をほぐし入れている女性がいた。

唯一無二のラーメンを生み出すそのひとは、大磯『らーめんかふぇ ししまい』の女将、宮代（みやだい）とよ子。自ら考案したレシピで添加物の「かんすい」を使わず、全粒粉をブレンドした麺を打ち、毎朝、その日つくるぶんのスープを仕込む。こちらも無添加。トッピングの具材もオリジナルで手づくり。無かんすい、無化調のラーメンづくりを、一からすべてひとりで行っている。

ラーメン職人は、大学生と中学生の息子をもつ母であり、妻でもある。そして、ローカルアクティビストでもある。子どもたちの居場所になればと体操教室を開いたり、「店をやってみたい」というひとに、営業していない時間帯を貸してあげたり、地元グループの集会やワークショップの会場として場所を提供していたりする。さらに最新情報では、「大磯から地球を救う」を合い言葉に、市場に出荷できない野菜を適正価格で販売する「ししまいマルシェ」を二〇二〇年九月よりスタートさせた。回を追うごとに参加者も、扱うものも充実。現在では食品だけでなくエコなグッズ販売もあり、その輪はゆるやかだけれど、確かなものとして広がっている。『ししまい』はラーメン屋であって、ラーメン屋以上。まちのひとたちにとって、なくてはならないコミュニティスペースでもあるのだ。

薄暮が大磯のまちに降りるころ、愛嬌たっぷりのししまいのイラストが印象的な白いのれんをしまおうとしていたラーメン屋のお姉さんに、ランドセルを背負った小学生たちが元気よく挨拶をしている。

「こんにちは！」「こんにちは～」「こんにちは！」

「あら、やっほ～」

「ジュース、買っていい？」

「いいよ～、気をつけて帰るんだよ」

手を振って子どもたちを見送ると、一日の営業を終えた店主は頭に巻いていた手ぬぐいと前掛けをはずし、カウンターテーブルのはじの席に腰を下ろした。

ゴールデンウィーク中の金曜日。テレビでは夕方のニュースが流れている。

〈東京都では新たに一六五人が新型コロナに感染していることが確認され……〉

『ししまい』は、二〇二〇年四月七日に緊急事態宣言が発令された翌日から、ラーメンとお総菜のテイクアウトのみの営業に即切り替えていた。地元のお客が中心の店ではあるが、「ここが感染のきっかけになっては絶対にいけない」という危機感から、三月の段階でテイクアウト販売の準備を進めていたという。

「いまはふつうにお客さまを店内にお迎えすることができないけれど、もともと地域のみんなの役に立ちたいと思って始めた店なんです。実家がラーメン屋だったから、自分もその道に進んだけれど、どうしてもラーメンでなければならなかったわけではない。むしろ感覚的には、駄菓子屋のおばちゃんみたいな存在でいたいんですよね。子どものおこづかい程度で気軽に立ち寄れて、ちょっと世間話なんかして、困ったことがあればおせっかい焼いちゃうような」

父の背中を見ながら

宮代さんは、大磯町の隣り、平塚市にあるラーメン通には知られた「花水ラオシャン本店」の末っ子として生まれた。五つ上と、年子の兄がいる。

父親は頼まれればなんでも引き受け、困っていると聞いたらリスク承知で商品を買い取るような、義理と人情に生きる昔気質の男だったという。ラーメン屋を始めたのも、「ラオシャン」の経営者からのれんを引き継いでほしいと頼まれたからだった。

祭り男でもあった父親は、毎年、祭りのシーズンが近づくと地元の若い衆といっしょに神輿を担ぐのに熱心で、店の営業は二の次に。母親もそんな夫の性格を理解していたのだろう。しょうがないわねえ、と呆れながらも、そっと見守っていた。

祭り好きは総じて酒も好きだ。ビールや焼酎を飲みながら、中華鍋をあやつり、名物のタンメンをつくる。常連が来ると、ちゃちゃっとつまみをつくって「食べな」とサービスしたり、「おやじも飲みなよ」と酒を注がれたりしながらの営業。祭りの仲間たちが来て、みんなでなにやら熱く語り合っているうちに、「飲みに行くぞ!」と彼らを引き連れて、飲み歩くのが日常だったという。

高校生から店の厨房を手伝うようになっていた宮代さんは、そんな親の姿を見て、「商売っていいものだな」と憧れを抱いた。

「地元のひとたちとつながり、助け合っていくのが商売なんだと思ったんです。いつか自分も、地域を大事にしながらひとの役に立つことができる〝商売〟をやってみたい。そう夢を描くようになりました」

ラーメンでなくてもよかった

家業は、上の兄が継ぐことが決まっていた。娘には年ごろになったら結婚して家庭に入ってほしいという願いがあったのだろう。宮代さんは高校を卒業すると、親の勧めどおりに一般企業に就職。平塚の実家から通っていたが、結局、数年勤めて退職。家業を手伝うことになった。もともとは、親父さんがお酒を飲みながらやれるような家族経営のこぢんまりした店だったが、やがて行列のできる人気店になっていたからだ。

麺もトッピングも、独創的なのがその人気の理由。父親がレシピを受け継いだ「花水ラオシャン」の麺は、かんすいを使わない自家製のストレート麺。トッピングはねぎではなく刻んだたまねぎ。見た目も味も独特ゆえコアなファンが多く、「あそこのラーメンは変わっているけど、うまい」と評判が評判を呼び、地元はもちろん、全国各地から「ラオシャンのラーメン」を求めてやってくるフリークたちで平日週末、時間帯にかかわらず、いつも満席パンパン。行列のできる店に。宮代さんは三十歳から約七年、兄ふたりとともに厨房に立った。その間に結婚、大磯に居を構え、ふたりの男の子が生まれた。

「やっぱり自分で商売をしてみたい。やるなら子どもを育てながらできる生活圏内で、地元に根づくような何かがいい」

わんぱくな息子たちを育てながら、「花水ラオシャン」を手伝っているうちに、高校時代に描いていた夢が胸のなかで大きく膨らんでいた。ただ……。

「ラーメンには子どものころから慣れ親しんできたけれど、それを商売にしたいとは思わなかったんですね。父の店で学んだのは、地元とつながることの大切さ、お客さまとの心地よい関係のあり方など、商売のイロハみたいなもの。それはありがたかったのですが、ラーメンという業界に絞って考えると、正直魅力を感じなかった。インスタントなものが多いじゃないですか。化学調味料をたくさん使って、人工的に配合されたうまみ成分でおいしいと感じさせる世界。だから、どうなのかなと。ずっと躊躇があったんです」

考えが変わったのは、パンづくりに興味をもち、製パン工場で働いているときのこと。全粒粉の入ったハード系のカンパーニュがおいしくて、これをラーメンに応用したらナチュラルでオリジナルの麺ができるんじゃないかとひらめいたという。

カンパーニュみたいなイメージの全粒粉麺に、化学調味料を一切使わないスープ。

もちろん、父親のラオシャンと同じく無かんすいで。全部がオリジナルの自家製、無添加にこだわったラーメン屋……。

それならやれそうだ。いや、やってみたい！

場所は、以前から気になっていた建物があった。大磯の自宅から子どもたちが通学する小学校までの道のりの途中に、シャッターが降りたままの元スーパー。宮代さんが大磯に引っ越してきた当時は、細々ながらも営業していたが、やがて閉店。「たかはしストアー」のレトロな文字の看板だけが残り、まちの灯りが消えた状態が長らく続いていた。子どもたちが毎日通るこの場所がいつも暗いのはよくない。それがずっと気がかりだったという。

とはいえ、食料品からお総菜、日用雑貨までひと通りそろうスーパーだ。ラーメン屋にするにはいかんせん広すぎる。しかも、最寄りの大磯駅からは徒歩十五分ほど離れた住宅街。周囲からは「こんなところに客が来るわけがない」と猛反対された。

それでも、決めた。「商売は、困ったひとを助けるためにある」という父親からの無言の教えに背中を押されたからだ。逆に、広さを活かす方法を考えた。

「ここなら、子どもたちが遊んだり勉強したりして過ごせる居場所づくりができる。地域のひとたちの集会にも使ってもらえるかもしれない」

子どもたちやまちのひとたちが集う様子がいきいきと目に浮かんだ。もう、駅から遠いとか、売れ筋があるわけでも有名店で修業したわけでもないのに、といったまわりの雑音は一切気にならなくなっていた。

音楽のような時間と空間を

二〇一二年四月。何年もシャッターが閉まっていた元スーパーが、『らーめんかふぇ　ししまい』として息を吹き返した。

名前には、お祭りのように、たくさんのひとが寄り集まり賑やかで楽しい場所になってほしいという、女将の願いが込められている。祭り好きのおやじさんへのリスペクトもあるだろう。一度目にしたら忘れられない個性的なししまいのキャラクターが配されたロゴデザインは、建物のリノベーションを手がけた小田原の設計・デザイン事務所「KEMURI DESIGN」の和田義之さんの妻であり、アーチストの真帆さんの手によるものだ。

のれんをくぐると、目に飛び込むのは、鮮やかなオレンジ色のL字カウンターと、その内側の広々としたキッチン。実家の「花水ラオシャン」と同じ、赤い龍が泳ぐように描かれたラーメンどんぶりがずらりスタンバイする奥で、絶え間なく白い湯気を上げている大きな鍋。鍋前には、頭に手ぬぐいをきっちり巻いた女将が構え、スタッフの女性たちがとってきた注文を「はい、ししまい一丁ね」「餃子二枚ね」とおだやかな調子で確認し、調理を始める。てきぱきと立ち働く女性たちのまんなかに、いつもまあるい微笑みでラーメンをつくっている女将さん。

いいなあ。カウンター席から眺めているだけで、のびやかな気持ちになる。最近のこだわりラーメン屋にありがちな、主張の強さ、とんがり感は一切なし。実家に帰ってきたかのような安心感がある。天井の高い店内には、クリーンで心地よい空気が流れていて、実際にはレトロなテレビがBGMだけど、私の頭のなかではゆったりしたリズムのブラジル音楽が響いている。たとえば、郷愁さそうジョアン・ジルベルトとか。

「食べることは、音楽と同じだと思うんですよね」

唐突に、宮代さんが言う。意味をつかめずにいると、またへんなこと言ってごめんなさいね〜、と笑いながら、おやじさんの店を手伝っているときからそう感じていたのだと話してくれた。

「音楽って、記憶とリンクしている気がしていて。昔、繰り返し聴いた曲、思い出とともにある曲。当時、ラジオから毎日のように流れていたヒットソング。そういう音楽って、何十年たっても、耳にするとそのときのことがよみがえってくるじゃないですか。飲食店にも、音楽みたいな力があるんじゃないかと思う。

たとえば、あるお客さんが、ちょっとさびしい気持ちを抱えてやってきたとします。ラーメンを頼んだら、うちのおやじがウーロンハイを飲みながら仕事をしていた。陽気に、常連さんと祭りの話でもして。お客さんは黙ってラーメンを食べ、おやじたちの会話を聞くともなく耳にして、ごちそうさんと言って店を出る。変わったラーメンだったなとか、おやじたちすごい酒を飲んでたなとか、でも楽しそうだったなとか。そんなことを思いながら帰る。

それから何年も経って再訪したときに、やっぱりおやじがウーロンハイを飲んでいたら、おう、それそれ！　となるじゃないですか。そして思い出す。あのとき凹んでいた自分を。さびしい気持ちを。でも、おやじは楽しそうに酒を飲んでいて、相変わらずだなあなんて笑って。

そんなふうに、食べもの屋というのは、過去の思い出をたどることができる場所。だから私は、ここで音楽を聴いてもらっているんだと思っています」

音楽のような店をつくりたい。それは、体にやさしいラーメン屋をやろうと決めたときから思い描いていたという。そのためには、気持ちのいい空間でなければならない。居心地のよさは、ひとそれぞれだけれど、自分がここにいて気持ちがよいと感じれば、お客さんも同じように感じてくれるのではないか。

「だからといって、最高のサービスをしようとか、特別な時間を演出しようとか、そういうのとは違うんです。夫婦でいらしたお客さまであれば、ふたりが楽しく過ごせるように明るく返してあげるだけでいい。何か話したそうな方だったら、こちらから話しかけてみればいい。暑くなりましたね、とか。その帽子、素敵ですねとか。話題はなんでもいい。なんてことのない世間話で十分。そんなことの繰り返しの、どれかのタイミングが、その方にとっての思い出の音楽になればいいなと」

一杯のラーメンにこめたもの

ししまいのラーメンがどこにもない唯一無二の味だというのは、食べるたびに感じていたが、懐かしいような、心に灯りがともるような安堵感に満たされるのは何なのか。ずっと不思議に思っていた謎が解けた気がした。そうか、ししまいのラーメンには、お客ひとりひとりの思い出の音楽が流れているのかと。

宮代さんをそうした境地にさせたのは、あるお客さまとの邂逅があったからだ。

いつも息子さんと三人でやって来る年配のご夫婦がいた。どこに住んでいるかも、何をしている方かも知らず、挨拶を交わす程度の家族だった。あるとき、息子さんと奥さまふたりだけで来店された。

「今日はご主人、いらっしゃらないんですか？」

何の気なく、宮代さんが尋ねると、奥さまの表情がたちまち曇った。「主人は亡くなったの」。余計なことを聞いてしまった。返す言葉が見つからず恐縮していると、奥さまは気にしないでという様子で静かに微笑み、教えてくれた。

「主人が好きだったのよ、ここのラーメン」

それから、奥さまと息子さんは、ご主人と三人で来ていたときと同じように「ししまいらーめん」を食べて、「また来ますね」と帰っていった。宮代さんはそのときのことを振り返り、こう考えたのだという。

「そのお客さまは、食べて帰るだけのご家族でしたが、働いている私の姿を見て、共感したり応援したりしてくださっていたのだと思います。頑張ってお店を続けているなとか。何度も来てくださっていたのは、ここが心地よいからなのでしょう。だから、悲しい気持ちというより、お父さんが好きだったわ、という感じで、懐かしい思い出をたどりにきているんだと思ったんです。

食べるということは、音楽みたいだと考えるようになったのはそれからです。思い出の曲の記憶が、そのひとにとって永遠であるように、飲食店での思い出も、そのとき食べたもの、シチュエーション、感情、会話、そんなものがうまくマッチすれば、永遠になりえるだろうと」

一杯のラーメンが、永遠になる。

ロマンチックな想像の世界の話ではない。『ししまい』の女将は、自分のラーメンを食べにくるひとりひとりに、記憶に残る音楽を聴かせようと、ここにしかない味をつくることに心血を注いでいるのだ。

「ししまいらーめん」ができるまで

かあちゃんの味噌汁みたいで、唯一無二で、不思議な安堵感があって、ここにしかない味……。

それはいったいどんなラーメン?? 抽象的な表現ばかりで、食べたことがなければ味をさっぱりイメージできないだろう。そこで、「ししまいらーめん」について、生みの親である宮代さんの言葉で解説してもらうことにした。

その一、麺について

小麦粉には、湘南産の全粒粉をブレンドしています。配合は、製粉メーカーに相談したのですが、気の遠くなるぐらい何度も試作を重ねました。最初は、ぼそぼそしていたり、酸味が出てしまったりと、なかなか思うようにいかなかったのですが、結果的に、つるりとなめらかでいてコシのある食感と、ちゃんと小麦の風味を味わえる、ユニークな自家製麺ができたと思っています。

粉以外に加えるのは、水と塩のみ。以前は温度計を使って、測りながらやっていましたが、いまは粉の様子を見ながら、自分の感覚でやっています。おや、と思うことがあっても、「ごめんね」って、そのまま（笑）。

スープもそうなのですが、同じようにつくっていても、一定の味にならない。よくみんな、同じ味を出せるなあと感心します。でも、同じ味にならなくてもいいのかなとも思う。人間がやっていることだし、材料も毎日違えば、気候も違うわけだから。「今日のラーメンと明日のラーメンは必ず違う」。なんてね。ワハハ！

麺を打ったら、冷蔵庫でひと晩寝かせます。熟成する、という表現をするひともいますね。打ちたての麺と、寝かせた麺とはあからさまに違います。できたてはモチモチ感があって、ゆであがりも早い。それが寝かせると、麺に締まりが出て、落ち着いたしっとり感がある。冷蔵庫で冷やすことによって、何か化学反応が起きているんだと思います。パンも焼きたてより、冷ましたほうが小麦の風味が立ちますよね。それと同じ原理なんじゃないかな。

その二、スープについて

スープは一種類のみ。全粒粉の麺に合うことだけに集中して開発した、「何味」と表現できない、ししまいのスープです。ベースは、鶏。丸鶏のガラに、手羽先、手羽元、もみじ、やげん（ナンコツ）。あと、牛すじも。そこに、和だしを加えます。昆布、鰹節、煮干し、干し椎茸。別鍋で、たまねぎ、にんじん、セロリ、トマト、きのこなどの野菜とハーブでとったスープをつくって、最終的にブレンドしています。

その三、もとダレについて

醬油ダレと塩ダレの二種。醬油は、三種類の醬油を合わせています。白醬油、淡口醬油、濃口醬油。そこにみりんと砂糖を加えて、甘いタレに。塩ダレは、ぎりぎりまでしょっぱくして、ホタテとか昆布だしを入れて調整しています。「甘い」×「塩辛い」でちょうどよくなるように狙っている。そうすると、塩でも醬油でもないスープになる。へそまがりだから、味噌味とか、醤油味とか、わかりやすい味にしたくなかったんです。そもそも、麺がふつうじゃないから。

スープを煮込むのは、三時間ぐらい。ひと晩かけてグラグラ煮出すという店もありますよね。私もいろいろ試してみたんですが、長ければいいというものではないのかな。長時間煮ると、酸味が出て、味が定まりません。豚骨だともっと長いのかもしれないけど、鶏は二、三時間でいい。そうしてから味が安定しました。いまはこれがベストだと思っています。

その四、トッピングについて

定食みたいなラーメンにしたかったんですね。お店の定食って、ごはんとおかずと汁物がついてるじゃないですか。ラーメンどんぶりのなかでそれを表現したいと思った。それも、ワンコインで気軽に食べてほしい。それでいきついたのが、蒸し鶏と、蒸したキャベツだったんです。父の「花水ラオシャン」と同じく、刻んだたまねぎも入れています。子どものときから食べていて、長ねぎじゃなくてたまねぎというのが個性的でいいなあと思っていたので。

鶏はもも肉を使って、複数の香味野菜やニンニクなどで数時間マリネしてから一時間かけてゆっくり蒸しています。しっとりふっくらしているのは、低温で調理しているから。キャベツは、一年中、地場産のものが手に入ることから選んだ。同じように時間をかけて蒸すことで甘味を引き出しています。これで野菜とお肉と、炭水化物、スープがそろう。添加物は一切なし。安心してスープを飲み干せます。むしろ、栄養満点ですから、ぜんぶ飲んでもらえると嬉しいですね。

日常を「演出」する

『ししまい』は、二〇二一年で創業九年になる。大磯ローカルの間で「今日はししまいにしよう」と話題にのぼるくらい地域にしっかり根づき、おいしいまちのオアシスとして大活躍だ。

ピカピカのカウンター席で、足をぶらぶらさせながら夢中でラーメンをすする小さな子どもたち。新聞片手に、ビールと餃子でゆるりとした昼下がりを過ごすおじさん。腰の曲がった老夫婦と子ども家族、孫たちと奥の座敷でくつろいでいる一家。ハイキングのいでたちで、「ここ来たかったのよね」と嬉しそうに店内を眺めている女性グループ。ラーメン好きのインスタグラマーとおぼしき男の子。

さまざまなひとが訪れ、それぞれの音楽を一杯のラーメンから、湯気の向こうで微笑む女将の姿から聴き取っている。

特別なことはひとつもない。九年、日々、繰り返されてきた、穏やかで、いとおしい、ししまいの日常風景。宮代さんは言う。

「世の中がへんちょこりんだったとしても、ここはいつもテレビがのんびりと流れていて、大鍋から湯気があがっていて、ラーメンをすするひとがいる。そんな、なんでもない日常を、私は大切にしていきたい。自分が元気でいなければと思います。健康でなければ、続けていくことはできないし、疲れていたら、お客さまに気持ちのいい音楽を聴かせることもできない。なんでもない日常ですが、ちゃんと意識していないとつくれない世界なんです。日常の演出、とでもいったらいいのかな」

インタヴュー中、「演出」という言葉を何度か聞いた。そこには、自分が店に立つこと自体が演出なのだという商売人としてのプロ意識がある。家庭ではふたりの息子をもつ母であり妻だが、ひとたび手ぬぐいを頭に巻いて前掛けをしめれば、「ししまいの女将」になる。

「知り合いが来ても、丁寧な言葉を使うとか、語尾をやわらかくするとか、それも演出だと思っています。一般的には、おもてなしとか、サービス精神というのかもしれませんが、私にとっては、演出する気持ちでこの場にいるというほうがふさわしい。

麺を大鍋に投入したり、ジャッジャッと切ったりする所作もすべて演出なんです。湯気があがっているのを見て、子どもがわぁっと歓声をあげている。おやじがひとりカウンターでビールを飲んでいる。そういう情景も含めて、店で起きること目にするもの、すべてが演出。

小さなまちの小さなラーメン屋の、平凡な日常なのですが、お客さまにとってはここでしか体験できない、非日常なのだと思う。だから私は、ししまいの店主として、ご家庭にはないものを演出してあげたい」

永遠。

私はふたたび、その二文字を思い出していた。まちのラーメン屋が提供するのは、手軽におなかを満たせる日常の延長だと思っていた。だけど、ししまいの女将、宮代とよ子が目指しているのは、別次元の「日常」だった。麺もスープもオーガニックの、似た味がどこにもないラーメンを生み出したのも、駄菓子屋のおばちゃんのような身近な存在でありつつ、何年たっても色あせない、心の音楽のようなラーメンであれ、と店に立つのも、その一杯が永遠になればいいという願いがあってのこと。

「ごちそうさま」

カウンターに五〇〇円玉をひとつ置き、客がひとり店を出た。

彼は、いつかふとした拍子に、ししまいのラーメンを思い出すことがあるだろうか。

「ありがとうございます」

客を見送りながら、店主は心のなかでこう思う。もしも思い出してくれる瞬間があるとするなら、その記憶があたたかなものであってほしいと。

一杯のラーメンに、永遠を託し、ししまい女将は、今日も前掛け、手ぬぐい頭で店に立つ。

140
OISO
Elementary
School

その椅子さえあれば

金岡由美

『ぼたん』清澄白河

河岸のぼたんちゃん

七月も終わるというのに梅雨が明ける様子はなく、その日も朝から小雨がぱらついていた。

豊洲市場のゲート前、午前八時四十六分。約束の時間まで十分以上あった。市場の競りは、夜の明けぬうちに始まるから、ピークはもう過ぎただろう。それでも大型トラックがひっきりなしに出入りし、長靴姿の目つきの鋭い男たちがせわしなく行き交っている。かつて見た築地の情景が浮かぶ。だが、目の前に広がる風景はそれとはかけ離れていた。昭和十年の開場から日本の食を支えてきた築地市場。そこには、魚河岸としての機能を備えた当時最先端の建造物としての美があり、八十有余年にわたり刻んできた歴史があった。二〇一八年に移転したばかりの豊洲は、当たり前のことながら、目にするものすべてが真新しく、整然としていた。

ただ、変わらないものもある。そこで働くひとびとの熱だ。市場で扱うもののほとんどは、生き物。揚がったばかりの鮮度と品質を維持したまま、顧客のもとへと届けるのが、彼らの最大の使命。しかも毎日、早朝の数時間のうちに売り捌かなければならない。最高のモノを売る。その一点に集中している市場人たちの熱量は、場所を変えても同じに違いない——。

そんなことを思い巡らしていると、横断歩道の向こう岸で手を振る小柄な女性がいた。

「ごめんなさい、ずいぶん遅れてしまって」

赤いギンガムチェックのシャツにデニムパンツ、足元は長靴。長い髪はひとつに束ねられている。たぶんノーメイクだ。着物に割烹着、きっちり髪を結い上げ、きりりとメイクを施した女将姿しか見たことのなかった私は、あどけなささえ感じる印象のギャップに驚いた。

「行きましょう。こっちです」

「水産部卸売市場」と書かれた矢印を、慣れた足取りでずんずん進んでいくこのひとは、豊洲からも近い清澄白河で『酒と肴　ぼたん』をひとり切り盛りする金岡由美だ。

数日前、店に伺った際、上質なものばかり並ぶお造りに感銘を受け、仕入れはどこで？　と尋ねたら、二〇一四年の開店から市場に通って買い求めているとの答えだった。日本料理の修業を積んだ板前のいる店なら当然だが、料理をどこかで学んだことはないという。美しい切り口、白身の透明感、艶、口にしたときのなめらかな舌触りと魚本来のうまみ。その背景には、よい材料の選択、確かな庖丁技、そして鮮度を保つ手早い仕事……があることが容易に想像できた。

私の胸中を察したのか、「今度、いっしょに行きますか」ときた。本に収録するための取材を申し込んだあとだったから、何かの参考になればという軽い誘いだったのかもしれない。でも、よく知りもしない相手に、大事な仕入れの場面を見せるだろうか。私は、市場に同行できるライター冥利もさることながら、きちんとした日本料理の素養なく、魚介の扱いに長けた女将自身に強い興味を抱いた。

「おう、ぼたんちゃんおはよう」
「はよ〜っす！　ぼたんちゃん」

撒かれた水で黒光りするコンクリートの通路を足早にゆく彼女に遅れないようにとついて歩いていると、河岸の男たちから威勢のいい声が飛んできた。ねじり鉢巻きにゴムのエプロン、いかつい体軀の彼らは、一見、強面だが、〝ぼたんちゃん〟に向ける眼差しはみなやさしい。何年も通い続け、獲得したのであろう親しみと信頼の情が、どの男たちにもにじんでいた。

通路の左右にひしめきあっている仲卸業者の軒先は、発泡スチロールのトロ箱に無造作に入れられたままの魚が雑然と並んでいる。きょろきょろしながら進んでいると、〝ぼたんちゃん〟は「おはようございまーす」と挨拶しながら、一〇人ほどの従業員が立ち働く規模の大きな区画に、すっと入った。ご贔屓のところなのだろう。数ある魚のなかから、鰺の箱をサッと確認し、

「鰺六本と、岩牡蠣、それから……」

つぎつぎと注文し、帳場でお会計を済ませた。「どこで何を買うか、決めて来てるんですか?」尋ねると、「うーん、ある程度は。でも、買う予定のないものでもいいものがあったり、勧められたりすると、料理してみたくなってつい買いすぎてしまいますね」。苦笑いしているが、どこか嬉しそうだ。

さらに奥へ。ほかより貝類が多めの店の前で立ち止まる。ピュッとあさりが潮を吹いた。「よう、ぼたんちゃん。今日は青柳だな」おじさんは言うやいなや、木箱のなかからひとつ貝をつかむと、パチンと指ではじいてうごめく姿を金岡さんに見せた。活きがいいぞ、の証拠だといわんばかりに。

金岡さんは目視でうなずき、「青柳、いただいていきます。あと、しじみを」と淡々と伝えている。一軒目でもそうだったが、河岸の男たちの高いテンションと比べ

て、冷静に見える。それは、市場独特の高揚した雰囲気に飲まれないためなのか、単に場数をふんで、慣れた場所だからなのか。そのときは、わからなかった。

つぎの瞬間。彼女の空気が動いた。トロ箱に氷詰めされ丁寧に並べられた若狭産の甘鯛を目にしたときだ。

「甘鯛、よさそうですね」

「お、そうそう」

おじさんは嬉しそうにうなずくと、箱のなかの甘鯛を取り出して金岡さんに見せている。

「この型でこの値は、なかなか出ねえよ」

艶(あで)やかな桜色に輝く甘鯛の肌、黒々と澄んだ瞳、見るからに鮮度がよいのがわかる。金岡さんはその肌を少しだけふれ、「いいですね。一本もらっていきます」と、初めて表情をゆるめた。

現代の女将が立つところ

私はこれまでに数回『ぼたん』を訪れている。初回、ひとりでのれんをくぐったときの印象は強い。清澄橋通りから「仲通り会」と光るネオンのアーチのある通りを入ってすぐのところに、白くぽってりとした提灯が灯っている。ガラス窓からは着物の女性がひとりで酒と肴を供している姿が見えた。引き戸を開け、予約の名前を告げると、三十代後半であろう年回りの女性（のちに四十一歳と知る）はちらりと私を見て、「いらっしゃいませ。どうぞ」と表情を変えずに、カウンター奥の席を案内した。

瓶ビールを飲みながら、品書きを眺める。丸っこい文字で「まずはここからどうぞ」「本日のとってもおすすめ」「さかな」「酒のあとの〆に」と分類され、さらにおすすめには赤丸が括られている。よく見ると、「揚げたてサクサク」「むっちり」「とろ〜り♪」など、シズル感たっぷりのコメントまで添えられていた。クールな接客とは裏腹。なんだか微笑ましい。

緊張がほぐれ、さて何を食べようかと吟味していたところ、

「申し訳ありませんが、ひとりでやっておりますので、注文はできるだけまとめてくださると助かります」

先客の若い男女に、女将がそう言った。ふたりは飲み物（女性のほうはソフトドリンク）と一品頼んだきり、おしゃべりに興じているようだった。ようやく注文に手が伸びたが、小鉢ひとつだったのだ。

ぴしゃりとやられた男女は、「あ、じゃあ……」と慌てて某（なにがし）かを追加した。

ふたたびピリリとする。連れから到着が遅くなると連絡があったばかりで、「まずはここから～」にある、「ブルーチーズ入りマカロニサラダ」をアテにゆっくりやろうと思っていたからだ。私は、マカロニを注文しながら、連れが遅れる詫びをし、到着したらお刺身を盛ってもらえますか、と伝えた。

すると、そんな気遣いはご無用ですといわんばかりに、「お連れさまがいらっしゃってからで大丈夫ですよ」と、微笑んだ。

いい甘鯛を仕入れて顔をほころばせる彼女と、初訪問の夜の印象が重なる。振り返れば、初めてののれんをくぐった瞬間から、女将が愛想を振りまいている姿を見たことがない。沈着冷静。たとえ常連が来ても、「あ、どうも」とそっけない。かといって無愛想かというと、それも違う。連れが大幅に遅れても、どうぞゆっくりお待ちください、の寛容や、ひとり客にメニューにはないちょこちょこ盛り合わせを用意する気働きもある。

「感じ悪いですよね」。第一印象を率直に伝えると、金岡さんは苦笑した。「でもニコニコもしますよ。ひとりでやってるので余裕がないんです」。

そうだった。彼女は他人の手を借りず、ひとりですべてをこなしている。料理をしながら、注文を受け、酒を供する。電話にも出るし、客の話し相手にもなる。「お勘定」となれば、会計だ。洗い物や掃除はもちろんのこと、メニューを考えるのも大事な仕事。商売にまつわるあれこれすべてをやりながら、店に立っているのだ。料理に集中していれば、どうしたってほかのことは後回しになるだろう。

仕入れだって同じ。食材の質を見極め、予算、業者とのつきあい、予約状況、メニューのバランスなど、いろいろなさじ加減のなかで決めなければならない。

笑わないのではなく、笑えないのだ。仕事に真剣だからこそ、そんなゆとりがないだけなのだろう。私はそう解釈した。と同時に、別の疑問が浮かんだ。

そもそも女将の仕事って、何だろう。どういうひとのことを「女将」と呼ぶのだろう、と。

飲食の業界は、最近でこそ女性の料理人も増えたが、いまだ少数派。料理を担当するのはたいていが男性であって、家族経営となれば夫であることがほとんど。女将の仕事は、料理人がその腕を存分に振るえるよう支え、お客に何か不足はないかと気を配ることに重きが置かれる。いわば女房役だ。

私の故郷・伊豆下田に、夫婦で四十年近く営む割烹居酒屋がある。そのご主人は、何かにつけてこうおっしゃる。「女将あっての俺の仕事だ」と。その心は、女将がお客の世話をしっかりしてくれているから、自分は板場の仕事に専念できるのだという意味。そう、女将の采配によって、店の印象も料理の味わいもまるで変わってしまう。それくらい女房役は重要なのだ。

しかし、令和の時代、女将という職業、もっといえば生き方の幅は広がっているように思えてならない。

女が男と対等に仕事をするようになって久しい、いま。飲食の世界でも、女房役ではない新しい女将が誕生している。

現代の女将は、自ら庖丁を握り、客をもてなす。どこかに所属するのではなく、自分の身銭を切って店を切り盛りする。彼女たちは、何にも依りかからず、自分の足ですっくと立ち、道を切り拓こうとしている。『ぼたん』の金岡さんもそのひとり。愛想も愛嬌もときに必要な商売だが、勝負しているのはそこではないのだ。

豊洲で、青柳を手ではじいて見せたおじさんが言っていた。

「かっこいいよ、彼女は。男ばかりの河岸で、まったく物怖じしないからね。下手なもんは出せねえな」

似たような言葉を、市場の男たちから何度も聞いた。最後に立ち寄った、「丸佳」の鈴木一彦さんもそうだ。築地市場時代からのつきあいだからか、仕入れを済ませた安堵もあるのか、金岡さんはこの日いちばんリラックスしているように見えた。数日後、店を臨時休業にして京都に行くのだという女将の話を聞いていた鈴木さんが言った。

「このひとはね、目利きが違う。よいものを惜しげもなく気前よく買ってく。それができるのは、一流店でいいものを食べているからなんじゃないかな。何がおいしいか、ひとはどこで満足するかを、舌でつかんでいる。だから思い切った仕入れができるんだ。気持ちがいいよね。そういうプロと仕事ができるのは」

「間合い」のサービス

金岡さんは、千葉の佐原で五十年以上続く中華と焼肉を売りにした「牡丹江飯店（ぼたんこうはんてん）」の長女として生まれた。そう、『ぼたん』という店名は両親の営む店の名前からいただいたのだった。

店舗と自宅は同じ棟にあり、幼いころから肉の焼ける匂いや、野菜を刻み中華鍋をあおる音、飲食をするひとびとのざわめきを感じながら育った。時代はバブル期の最中。団体客も多く、最盛期には一〇人の従業員を雇う繁盛店だった。両親とスタッフ総出でも追いつかない忙しさに、小学校から帰ると、「由美、おまえも手伝え！」と声が飛んでくる。『ドラえもん』観たいのになあと思いながら、渋々、皿洗いをしたり食材の下ごしらえをしたり。物心ついたときから、商売が暮らしのなかにあった。
それから『ぼたん』を開くまでの十数年は、目的地のない旅のような時間だった。大学受験に失敗。予備校に行く気になれず、マクドナルドのバイトでやり過ごす。親からの「いい加減就職しなさい」の苦言に、渋々一般企業に入社。しかし、退屈な毎日に一年で逃げ出す。マックのほうがよっぽど楽しかったと、都内で複数のレストランを展開していた外食企業に就職した。しかし、このときはまだ飲食の世界で生きていこうとは考えてなかった。

高校時代からやりたいことなどなく、ふわふわと浮雲のように生きてきた。外食チェーンに入ったのも、事務の仕事が「死ぬほどつまらなかったから」という消去法でしかなかった。そのなかの高級中華店で二年勤めたのち、一〇〇種以上の日本酒と生けすから調理する活魚が売りの「酒呑（ささの）」で七年、土鍋炊きのごはんと日本酒のペアリングがコンセプトの和食店で一年、さらに老舗の日本酒居酒屋で二年。いずれもホールスタッフとして働いた。

無趣味だった金岡さんが唯一、興味をもっていたのが、日本文化。着つけを習い、「和」の業態を経験するうちに熱を帯びていったのだろう。老舗居酒屋でのこと。
「オーナーがいつも酔っ払っていて、宗教に勧誘されたりして散々。接客の仕方にしても、自分だったらこうするのに、ということがいろいろあって。そんな文句ばかり言ってるんだったら、自分で店をやってみようかなと。それで失敗したら、私の間違いだったと納得もいくだろうと思ったんです」

料理人への憧れや、一国一城の主になる夢よりも、自分のやり方が通用するかどうか確かめたかった。その発想に、私は「自信」を感じた。負け戦とわかっていながら戦いに挑む人間は、そういないからだ。では、どこに勝算を立てていたのだろう。

飲食業界で働いた経験は十年になっていた。すべてサービス。客層は、広尾、赤坂、白金高輪といった立地の高級店に足を運ぶアッパー層の大人たち。彼らのふるまい、お金の使い方に日々ふれてきたことは、外食の真髄を理解するうえで大きな意味があったに違いない。

日本人が大切にしているものに、「間」という意識がある。金岡さんの接客には、つかず離れずの、絶妙としか表現できない「間合い」がある。つっけんどんのようでいて、客の心を離れさせない手を心得ているように思えるのだ。たとえそれが無意識であったとしても、二十代の十年を、サービスひと筋に注いでいた経験が、「ひとを見る眼」に磨きをかけたことには変わりない。

悪いときこそ、攻めろ

とはいえ、立つ場所は「食」。どんなに接客に長けたとしても、お金を払ってもらえるレベルの料理がなければ、ひとは呼べない。飲食店でキッチンの経験がない金岡さんは、どうやって和食の勘所を学んだのだろうか。

「料理はつくるのも食べるのも好きで、よく友人たちを家に招いて振る舞っていました。料理本もたくさん読んで、片っ端からつくった。でも、どういう店をやりたいかだと思う。ちゃんとした割烹をやりたいのだったら、料理学校に通い、修業を積む必要があるでしょうが、私がイメージしていたのは、小料理屋みたいな居酒屋。日本酒についてはかなり学ぶことができたので、こだわった銘柄を取り揃え、お酒に合う気の利いたつまみがちょこちょこっとあればいけるだろう。そんな頭でしたね」

金岡さんはインタヴューにそう答えたが、いま思えば、本からの学びやホームパーティーの場数より、彼女を料理人として成長させたのは、「丸佳」の鈴木さんが言っていたように「あちこちで食べてきた舌の記憶」だったのではないだろうか。

赤坂や広尾の高級店で働いていた時代から、あらゆるタイプの飲食店に足を運んできた。ざっかけない大衆酒場から、一流料亭、割烹、ミシュランの星つきレストランまで。それらの店での飲食体験が、金岡さんの料理のエッセンスとなり、メニュー構成に表現されている。

手描きの品書きを読み込み気づくのは、食材と値段の幅広さだ。たとえば、「真いわしのバルサミコ梅煮」は六〇〇円。春、花山椒の季節になるとメニューに上がる「花山椒と常陸牛の小鍋仕立て」は時価で四〇〇〇円〜。なじみの食材を気軽に、しかも料理屋のひとひねり（梅煮にバルサミコ酢を加えるとか）が嬉しいものもあれば、時季をとらえた高級食材をいただく至福もある。「安いものは安く。高いものはその価値に見合ったお値段で」というのが、「ぼたん流」。

思い切った食材への投資は、同行させてもらった豊洲市場でも確認済みだ。高級魚を気持ちよいくらいに迷わず買っていた。そんな「攻め」ができるのは、どんなに値が張ったとしても特別な食体験をみな求めていることを知っているから。金岡さんはこうも言っていた。

「食材については攻めるときは攻めます。ちょっとヒマな日が続いたりすると、買い渋ってしまいがちですが、そういうときに限ってたくさん召し上がる方や、美食家の方がいらしたりするんですよね。だから、悩んだら躊躇せずに買う。失敗もしますよ。でも普通じゃあ、つまらないじゃないですか」

「攻めるときは攻める」。それこそ、水商売の本質ではないか。当たるかどうかは誰にもわからない。だが、「当たり」は、一か八かで賭けた人間にしか降りてこない。失敗を避け、安全圏のなかで無難な商売をするというのも、ひとつの商法ではある。しかし、『ぼたん』の女将はそれを選ばなかった。弱気になりかけると、「酒呑」の社長から教わった言葉を思い出すという。

「悪いときこそ、攻めろ」と。

祭り女の気質

「このあとのご予定は？」

あらかたインタヴューが終わったかなというころ、金岡さんが聞いてきた。時計を見ると、友人との約束の時間まで二時間ある。そう告げると、「もしよかったら少し行きませんか？」と私を誘った。門前仲町に行きつけのカフェがあるという。私たちは店を出て、門前仲町まで歩くことにした。

年季の入った鰻屋、老舗の風格の寿司屋、掃き出し窓から煙がもれる焼鳥屋……。路地をのぞけば猫がのんびりと毛繕いをしている。清澄庭園の深い緑と、運河がそばにあるからだろうか。とても清らかで穏やかな空気が流れている。

「あそこは最近できたワインバーで、なかなかいいですよ。夜遅くまでやってるから、私も店を閉めてからひと息つきにたまに行くんです」

「ここは老舗の鰻屋さんで、すっごくおいしくて、いいんですかっていうくらい安い」

「山田さん、自然派ワインお好きだって言ってましたよね。ここもこの春にできたばかりなんですけど、ワインはみな自然派。時間あったらあとで寄りましょう」

こんな具合に、金岡さんは道すがらずっとまちの案内をしてくれた。『ぼたん』がオープンしてから七年。自宅はお店の近くだと言っていたから、このあたりにずいぶん詳しくなったのだろう。それに加えて、彼女の口調がどこか誇らしげなのは、暮しと商売の拠点に選んだ、ここ深川に愛着があるからなのではないだろうか。

目的の店は、最近増えている自家焙煎のスペシャリティ豆をハンドドリップで淹れてくれるコーヒースタンドだった。富岡八幡宮のそば、ガラス張りの明るい店内に入ると、キャップのつばを後ろに被った若い男性が、「あ、ぼたんさん、こんにちは！」と爽やかに声をかけてくれる。

並ぶのは、ラオス、ミャンマー、東ティモール、タイ……。飲んだことのない国の豆ばかり。おのおの好みを伝えて淹れてもらう。

「今夜、おやじさんとこの誕生日っすよね。おれも終わったら行くつもりっすよ」

挽きたての豆に湯を落としながら、楽しげに店主が話しかける。とたんにコーヒーの芳醇な香りが立ち上がってきた。今日は近所の飲食仲間たちも利用する居酒屋の大将の誕生日で、これからみなで祝うことになっているという。「ただの飲み会ですけどね」。金岡さんは特別なことではないというように添えたが、瞳が弾んでいる。さっきのワインバーも自然派の店も、ここも、みなつながっているらしい。地域にゆるやかなコミュニティが形成されていて、お互いの店を行き来したり、情報交換をしたり。そんなあたたかで刺激的な日常が、金岡さんのまわりにはある。

「そろそろ、オープンしているから行きましょうか」

促され、私たちは清澄白河の自然派ワインの店へ向かうことにした。

「富岡八幡宮に、純金でつくられた御神輿が祀られているの見たことありますか？」

神社のそばまでくると、思い出したように聞いてきた。知らないと答えると、見学していきましょうと、境内へ。残念ながら、黄金の御神輿が祀られている建物は閉まっていて、拝観することはできなかったが、彼女のひととなりにふれる瞬間があった。

「今年は、深川のお祭りがなくて残念ですね」

新型コロナの影響で、例年だと八月のお盆時期に開催される「富岡八幡宮例大祭」が来年に延期されたのをニュースで知っていた私は、何気なしにそんな話題を持ち出した。

「ねぇ、本当に。佐原の祭りも今年はないし……」

佐原の祭りとは、金岡さんの出身地である千葉県香取市の「佐原の大祭」のことで、夏と秋に行われる盛大な祭りである。立派な山車（だし）と粋なお囃子が見物で、ユネスコ無形文化遺産にも指定されている。

そういえば、『ぼたん』のトイレにはこの祭りの大きなポスターが貼られていて、最初、ちょっと驚いた。女将との関係性がわからず、唐突な気がしたのだった。

八幡宮の境内を歩きながら、金岡さんがぽつりとつぶやいた。

「お祭り、好きなんですよね」

思いがけない言葉だった。店でのクールな女将と、祭りの熱気とが重ならなかったからだ。しかし、いま思い返してみると、つきあいを重んじた仕入れ、飲食仲間とのつながり、地元への愛着など、彼女の価値観には、日本人が祭りを通して大事にしてきた精神に共通するものがあった。

「店をやるなら、祭りの盛んなところがいい」

深川を商売の舞台に選んだ理由を訊ねたときも、こう答えていた。

私は「祭り好き」と知り、これまでどこかつかみどころのないひとだと感じていたもやもやが拭われたような気分になった。

日本の祭りは、神社を中心にした地域の大事な行事。人口減や高齢化で担い手が減ってしまい、かつての勢いを失ってしまったところもあるが、富岡八幡宮の祭りも、佐原の祭りも、毎年、盛大に行われてきた。そこには、地域の伝統行事を代々受け継ぎ、守ってきたコミュニティの強いつながりがある。金岡さんが祭りに惹かれるのは、神輿や山車にみる日本の伝統文化もさることながら、その地域に根づく「連帯」のあたたかさもあるのではないか。

私の地元、下田にもまちの有志たちが中心になって行ってきた伝統の祭りがある。ほかの地域同様、二〇二〇年は中止になってしまったが、祭りのために誰もが惜しみなく尽くす。彼らに共通するのは、地元を愛し、人情に厚く、気っ風がよいこと。そして、物事に熱く取り組むからなのだと思うが、気性が荒い人間が多い。

その気質は、金岡さんにも通ずる。「女ひとり。強気なぐらいがちょうどいい」と一笑していたくらいだ。クールにしているのは、甘くみられないための方便に思われた。「やさしくすると、図に乗るおじさんもいますからね」などと、冗談とも本気ともつかない（いや本気か）、手厳しさもあった。反面、一取材者の私に大事な仕事場を見せてくれ、こうして彼女のプライベートな時間まで割いてくれる懐の深さもある。

地元の商売仲間たちとのつながりも大事にしている。

江戸に負けないほどの文化、商いが発展した「江戸優り」の佐原で商売を長く続けている家の長女として生まれ育った血筋もあるだろう。でも、それ以上に、商売人としての何か強いものを感じる。市場での思い切った買いぶり、数々の飲食体験が培ってきた目利き力、そして自分のペースに客をうまく引き込む接客術。市場の男たちが「たいしたもんだよ、ぼたんちゃんは」と一目置くように、私も数回お会いしただけだけれど、「たいしたもんだ」と見上げてしまう。

心の椅子の背もたれに

帰りに寄ったワインバーで、ヴァン・ナチュールの泡をふたりで一本空けるころ、聞き忘れていたことを思い出した。

「そういえば、お店ではいつも着物ですよね。やっぱり和の文化がお好きだからですか？」

四十一歳。素顔にみずみずしい若さをたたえた彼女は、「着物が好きなのはもちろんなのですが」と断ってから、いつものさばけた調子で言った。

「迫力、出るじゃないですか」

迫力。それだ。『ぼたん』の女将に感じる、「何か強いもの」とは。

ふたたび、初めてお店に伺った日のことがよみがえってきた。カウンターの内側で立ち働く着物姿の女将は、堂々としていてすでに貫禄があった。ある瞬間、客席のほうへやってきたとき、えっ、と驚いた。想像以上に小柄だったからだ。たぶん身長一五〇センチに満たないだろう。カウンター内で大きく見えたのは、金岡さんから受ける存在の大きさだったのだ。

「従」ではなく「主」として立つということは、依りかかるものが何もないということ。波風をすべて引き受けて、自分で店を守らなければならない。そのぶん、「主」として生きることには、それを選んだ人間にしか到達しえない喜びや充実もある。

その濃密な生きざまを思うとき、私はどうしても「女」であることを考えてしまう。

女の人生は、選択の連続。つねにY字路の分岐点に立たされているようなものだ。結婚は、昔ほど一大事ではなくなった。婚姻せずにパートナーと暮らす選択もある。問題は、出産だ。子どもを育てる人生か、子のいない人生か。

「店を始めるときにずいぶん悩みました。結婚はまあいいとして、子どもはどうするのと考えると、おいそれと店なんかできませんから。でも、私はこっちを選んだんです。幸い、贔屓にしてくださるお客さまもいますから、ここで落ち着いて続けていければいいと、いまは考えています。好きなところに行けて、食べたいものを食べて、たまには旅行もして。それぐらいの贅沢ができれば十分。マンションのひと部屋ぐらいは買っておきたいかな。それには、七十過ぎても女将やってないといけないかもですね」

その境地に辿り着くまで、どれくらい悩んだのだろうか。吹っ切れたように笑う彼女を見ていたら、ふいに椅子のイメージが浮かんできた。

明るい光が差し込む小さな部屋に、ひっそりとたたずむ一脚の椅子。がらんとした空間に、ぽつんと置かれているが、不思議とさみしさは感じられない。椅子はしずかに待っている。その座を占め、くつろぐ主人の到来を。これからを見つめ、つぎの行動に移ろうとする主を。座り心地がよいかどうかは、試してみなければわからないけれど、主を得ることによって、自らの役目を存分に発揮するかのようにも思える。

この椅子は、女将としての人生を選んだ金岡さんのための一脚だ。彼女が自ら選んだ道を信じ、その意志を貫き通すかぎり、椅子は人生の伴侶としてずっとかたわらにあり続けるだろう。誰かと生きることになっても、ひとりだったとしても、安らぎと勇気をもたらす存在であることに変わりはない。

ほたん
酒と肴

男たちが素顔に戻れる場所

越野美喜子『こしの』渋谷

道玄坂、ネオン街の片隅で

渋谷はしばらくぶりに行くと、浦島太郎の気分になる。駅周辺を中心に大規模な再開発が進み、いつの間にか新しいビルが建ち、商業施設ができ、新たなひとの流れが生まれている。ものすごいスピードで変貌を続ける渋谷。しかし、奇跡的に昔の面影が残るエリアもある。

道玄坂の中腹から右に広がる「百軒店（ひやっけんだな）」。ここも時代とともに大きく変化していったが、どこかで時間が止まってしまった印象がある。

百軒店は関東大震災の直後、大正十三（一九二四）年ごろ、西武の前身である箱根土地が開発を仕掛けた。渋谷は震災による被害が少なかったため、下町の名店を誘致するとともに、映画館と劇場を建てた。「百軒店」の名も、そこから生まれたとされる。その後、戦争で焼け野原になったが、闇市の衰亡に反して、ふたたび息を吹き返す。映画館や劇場、ジャズ喫茶、バー、食堂などが軒を連ね、渋谷で最も栄えていた時代もあったという。その後、昭和四十年代初頭に東急と西武がこぞって開発に乗り出す。東急百貨店、西武百貨店、パルコ、東急ハンズ、109がつぎつぎとつくられると、ひとの流れはこの方面へと向かい、「若者の街、渋谷」が形成されていった。

その陰で、百軒店の賑わいは消え去り、風俗店やラブホテルが並ぶように。ケバケバしいネオン看板のストリップシアター「渋谷道頓堀劇場」を筆頭に、猥雑な空気を放っている。そのかたわらで、昭和元（一九二六）年から続く「名曲喫茶ライオン」や、カレーの「ムルギー」（一九五一年～）など、渋谷の歴史とともに年を重ねてきた老舗もある。だからなのだと思う。この坂道に足を踏み入れると、どこか心が安らぐ。渋谷が再開発によって捨ててしまった、ひとびとの痕跡、経年によってしか熟成されない土地の記憶の重みのようなものが、ここには残っているのだ。


「青春なんてなかったですね。子どものころから何やっても夢中になれず、高校卒業を機に実家の佐賀から上京して、気まぐれに洋裁の専門学校に入ったけれど、すぐにやめてしまいました。友だちの家に居候しているとき、夫と知り合って結婚。私は二十歳、向こうは十五歳年上でした。

すぐに男の子ができて、翌年には次男を出産しました。娘も生まれて、それからは子育てに無我夢中。当時流行っていた音楽とかドラマとか、なんにも憶えていないんですよ。息子たちはもう結婚しています。娘は三十歳になったばかり。彼女もそろそろ……かしら。

あら、いらっしゃいませ。まあ、早かったですね。お店、五時からと言ったのに。でも、いいですよ。どうぞどうぞ」

ここは「しぶや百軒店」のアーチをくぐり、坂を少しのぼったところの雑居ビル一階、『食べものや こしの』。有田焼の窯元の娘、越野美喜子がひとりで切り盛りする小料理屋である。八坪ほどの小さな空間には、欅(けやき)のコの字カウンターが設えられていて、三方から着物姿の女将を囲む席は、一〇人も座ればいっぱいだ。

腰を下ろしてまず目に飛び込むのは、カウンター台に並べられた「本日の大皿」料理の数々。肉じゃが、筑前煮、ポテトサラダ、玉子焼き、魚の照り焼き、小魚の唐揚げなどのお惣菜が、華やかな有田焼の大皿に盛られていて、客たちはメニューを見るより早く、今宵のつまみは、と伸びあがって品定めをする。美しい絵柄の器に、衒(てら)いのない家庭料理がかえって映える。器はすべて、女将の実家「亮秀窯(りょうしゅうがま)」のものだ。

有田焼は成形と絵づけを分業で行うのが一般で、亮秀窯は絵づけの専門。毛筆による手描きで、父親が一点一点鮮やかな命を吹き込んだ器に、娘の料理がのる。いわば親子の合作だ。

「まだ終わってないの？　じゃあぼくも取材に入るか」

中折れ帽子に身なりの整った紳士が、夕方四時すぎにやってきた。私はこの日、インタヴューのために開店時間より早く入れてもらっていたのだが、会社のお偉いさん風の紳士は待ちきれなかったようだ。あるいは、「今日は取材があるから」と事前に聞いていたらしいから、娘を心配する父親のような気持ちだったのかもしれない。録音を始めて十五分も経たないうちに、ご来店。越野さんは笑いながら、「じゃあ耳を塞いでおいてもらっていいですか」と、慣れた応対で席を示した。

帽子をとり、レインコートを連れの奥さまに預けながら、「でも、飲まないと聞けない話もあるでしょ」と私に向かってにやり。「ひとに迷惑をかけちゃいけませんよ、あなた」。たしなめたのは、ご主人のコートをハンガーにかけていた奥さまだ。いつも連れ添っているふたりなのだろう。阿吽の呼吸から、穏やかな空気が伝わってきた。

「いつものハイボールでいいかしら」

「ここのママさんは人柄もいいからね、お客さんの層もいい」

昔から知っているような口ぶりと、鷹揚とした構えに、大常連の気配十分だったが、通い始めて一年だという。
「だから山田さんのほうが長いんですよ。十二、三年ぐらいは経つかしら」

名を呼ぶ魔法

もうそんなになるのか……。感慨とともに、初めて訪れた夜のことがぼんやりとよみがえってきた。当時、都心に住んでいた私は、年下の友人と青山で飲んでいた。二軒めに行こうとなったときに、彼が「渋谷とは思えない隠れ家」と連れて来てくれたのが『こしの』だった。

駅前の喧噪を背に、道玄坂をのぼっていくと、「ここ」と彼が言う。茶色いビルの入口には、スナック、バー、ラウンジ、カラオケ……の文字が並んでいる。三十そこその男子が足を踏み入れる場としては、場違いな気がした。こちらの戸惑いに気づいたのか、「入りにくそうですよね。でも大丈夫ですよ。僕も最初は先輩に連れてきてもらったんですが、着物の女性がひとりでやっていて、なんか格好いいんです。山田さん、好きだと思う」。そんなふうに説明して、私を誘った。

彼が示した店は磨りガラスの格子戸がひとつあるだけで、なかの様子は見えない。唯一の目印は、銀座の雑居ビルあたりで見かける小料理屋の名だけ入った小さな灯り。

毛筆によるたおやかな『こしの』の文字に、何かの花を象った家紋が描かれていた。

「あらぁ、キクチさん、お久しぶりじゃない」

扉を開けると、着物に割烹着の涼やかな美しい女性が潑剌とした声で迎えてくれた。そこまで鮮明に覚えているのは、そのあとひとりで行くようになってからも、女将さんは「まぁ、山田さんいらっしゃい」と、必ず名前を呼んで迎えてくれるからだ。それは私たちに限らず、どのお客に対しても同じだった。

「記憶力がいいんだよナ。こっちがすっかり忘れているような細かいことまで覚えていたりしてさ。おれなんか最初から名前で呼んでもらっている気がするよ」

「ぼくも。ずいぶん前に一度来たくらいなのに、びっくりしたね」

ある夜、女将の記憶力について話題が及んだとき、その場にいた客たちはみな「同意」というようにうなずいていた。嬉しそうに。越野さんは「たいしたことじゃありませんよ。普通ですから」と謙遜していた。素直な実感なのだろう。

店の主が、客の顔と名前を覚えるのは、特筆すべきことではない。接客業に携わる人間にとって、顧客のプロフィールや好みを把握するのは、基本の「き」だろう。でも、と思う。越野さんが「オクヤマさん」「ユウさん」「ナオコさん」……と呼びかけると、ただ名前を口にしているだけではない何かが生まれる。呼ばれた相手だけではなく、店全体に。

ひとことで表すなら、それは「親しみ」だ。たまたま同じ日、同じ時刻に、『こしの』のカウンターを分け合っているが、見知らぬ者同士。名前を知らなければ、名なしの権兵衛、のっぺらぼうのまま終わる。だけど、越野さんが名前を呼ぶおかげで、「ああ、あのおしゃべりな紳士はオクヤマさんっていうんだな」とか、「ショートカットが似合う素敵な女性はナオコさんで、隣りの照れ屋のおじさんはユウさんか」など、たとえ話しかけずとも、それぞれのキャラクターが見えてくる。なかには、酒場では「無名」でいたいひともいるだろう。私も、誰でもないただの客として「孤」でありたいときもある。でも、『こしの』でそれは、もったいない。

百軒店は、いまでこそピンク系の店が増えたが、どこかに文化の熾火(おきび)が残っているような気がする。だからだろうか。『こしの』の扉を開ける客は、個性的な人物ばかりだ。俳優、芸人、占い師、映像作家、ミュージシャン、ファッションデザイナー、料理研究家、スナックのママ、私のようなしがない物書き……。そして、ユニークな酒飲みたちの相手をする女将の客さばきも、ひとつの芸である。だから「孤」に浸るより、自分もこのカウンター劇場に参加したほうが断然、酒がうまい。

コの字カウンターの指揮者

やってくるのは、ひとり飲みに慣れた大人たちだ。それも、黙々と飲み重ねるタイプより、心の扉はいつでも開放しています、といった雰囲気の面々ばかり。自然と客と客の間に会話が生まれていく。越野さんは「いいお客さまに恵まれています」と言っていた。たしかに、ここに集う面々は、女将に自分の相手だけをさせようとしたり、大騒ぎをしたり、根掘り葉掘り詮索するような無粋な輩はいない。会社の愚痴を吐き続けるサラリーマンもいない。誰もが上機嫌に、等分に女将との会話を楽しみ、純米酒のごときふくよかな時間に酔いしれる。だから、いつ訪れても、どんな客たちと居合わせても、『こしの』のカウンターは心地がよい。

しかし、「居心地」は、客筋がよいだけではつくれない。越野美喜子という優れた指揮者が中心にいるから、このハーモニーが生まれてくる。女将は、コの字カウンターの内側から、目の前の〝演奏者たち〟をよく見ている。彼らの出す音を聴きながら、調和が乱れそうになると、さりげなく調える。

訳知りの常連たちを喜ばせ、わがままな客の求めをユーモアでうまくかわしつつ、一見のひとり客にも気を配り、置き去りにしない。全体をまとめているのは女将なのに、客たちにそうと感じさせない。

たぶん、本人はそんなことまったく意識していないのだと思う。女将が自然にふるまっているから、こちらも構えなくていい。自然にしていて、楽しめる。

「このひとはね、男っぽいから。美人の着ぐるみを被っているだけ」

中折れ帽の紳士は、越野さんを指して何度も「男っぽい」と言った。

「いるじゃない、ネコになったりイヌになったりして、媚びを売るタイプ。彼女は違う。ダメなことはダメというし。好き嫌いが顔にすぐ出る。そこがいい。サバサバしているからこっちも楽なんだよな」

「楽」――。それは『こしの』の居心地のよさを表すひとつのキーワードだ。店の雰囲気にも、料理にも、気負いが感じられない。

店内の壁に並んだ品書き短冊など、その典型だ。「肉じゃが」「季節のお浸し」「筑前煮」「チキンカレー」「小鯵の南蛮漬け」「煮魚」「牛もつの煮込み」……が、達筆な文字で並んでいる。私は長らく、女将の手によるものだと思っていた。が、店を開くときに有田から手伝いに来てくれた母親が書いてくれたものだと最近知った。オープンは二〇〇六年六月。当時からずっと掲げられているから、もうなくなっているメニューもある。「牛もつの煮込み」などは、いい材料が手に入らなくなってから何年もつくっていないそうだ。越野さんはあっけらかんと言った。「これは飾りですから」。

一瞬、そんなのアリ？　驚いたが、改めて眺めると、壁の短冊を「品書き」と思うと違和感があるが、「飾り」ならば、たしかに『こしの』の壁にしっくりと馴染み、ひとつの「景色」になっていた。

気負いのないのは料理もそう。「家庭料理です」と本人が言うように、メニューのほとんどは普通のおかず。だけど、ちゃんとおいしい。普通ってありがたいと安心する。自分が歳をとって、ご馳走すぎるものはいらないなと感じているからでもあるが、考えてみると、ほどよく箸がすすみ、酒がうまく、疲れないのは、「女将さん酒場」の共通点かもしれない。そんな感慨を、この店に何度かごいっしょしたことのある仕事の先輩に話したところ、彼はだし巻き卵を食べながらこう評した。

「うまいんだよな、これ。僕も真似してだしを多めに入れてつくってみたけど、何か足りない。普通なものでお金が取れるってすごいことだと思ったよ。『普通を越えた、普通』なんだろうな」

専業主婦からの転身

「私、初めて庖丁もったの三歳ぐらい。母がふだん使っていた庖丁で、沢庵を刻んでお茶漬けに入れるのが好きだった。料理は、小学校の何年生だったかしら……、手伝ってました。父が昭和九年生まれで、同い年の仲間たちと「九年会」という懇親会をやっていたんです。月に一度、順繰りにお互いの家に集まって食事を囲む、まあ飲み会ですよね。九州だから筑前煮とか煮物が多かったかしら。あと小鯵の南蛮漬けとか馬刺しとか。いまお店で出しているようなものだったと思う。そのときに、里芋の八方剝きを教わったんだわ。私、左利きなんですけど、剝きものは母に習ったのでそれだけ右手でやるんです。

九州の人間だから、お酒はみんなよく飲んでいたわね。大人たちが酔って大きな声になったり、赤ら顔になったり、そういう姿はもう子どものころから見慣れてました。ぜんぜん嫌な気もしなかった」

越野さんの故郷、佐賀は東一（あずまいち）、鍋島（なべしま）、七田（しちだ）など濃厚な旨口の日本酒が多く、もちろん焼酎王国でもある。酒豪たちはぐいぐいと酒を飲み、どんどん熱を帯びていったに違いない。そんな酒席で、料理を運ぶなど、甲斐甲斐しく動き回る小さな娘を、男たちは〝みきちゃん〟と呼び、たいそう可愛がったという。

九年会には、小学校の教師たちも交じっていて、学校で見る「先生」とはまったく違う顔をしていた。いきいきとして、無邪気に見えた。越野さんは子どもながら、こっちのほうが本当の先生なんだろうなあと思ったという。たぶん、〝みきちゃん〟はこのときから、男には「内」の顔と、「外」の顔があるということを、本能の部分で嗅ぎ取っていたのではないだろうか。酔客の相手をしていても、「ぜんぜん嫌じゃなかった」というあたりに、その芽生えを感じた。もし、女将にふさわしい資質というものがあるとしたら、このひとは天性のものを備えていたことになるだろう。

しかし、早くに結婚した彼女は必然的に専業主婦になった。そのことになんの不満もなかった。もともと料理上手で、来訪者をもてなし、父親の仕事を陰で支えていた母親を見て育ったのだ。家のことは女の仕事。そういう価値観が自然と身についたとしても不思議ではない。

「何かしなきゃ」。そう思い始めたのは、三十代に入ったばかりのころ。子どもたちは中学生と小学生だった。

「具体的なことは何も。でも、子育てが落ち着いたら……と漠然と考えていて。自分に何ができるか試してみたかったんだと思います」

彼女の背中を押したのは、子どもたちだった。二〇〇〇年前後、十代を中心に流行した「トレーディングカード（通称トレカ）」の販売店を始めたのだ。本人はまったく興味がなかったが、トレカにハマっていた息子たちから「駄菓子屋のおばちゃんくらいの気持ちでやってみれば」と勧められ、トレカ需要の広がりに可能性を感じていたこともあり、やってみようと思い立つ。アルバイト経験ゼロ。一度も外で働いたことのない主婦が、三十二歳でいきなり経営者になった。

流行の予感は的中した。スポーツ選手やアニメキャラなど、さまざまなトレカが販売され、一大ブームに。なかにはプレミアムがつき、一枚五〇万円で売買されるカードも出るなど、売上げは好調だった。バイトもたくさん雇い、十年続けたが、インターネットの普及により、ネット上で個人同士での売買が始まると、下火に。潔く辞めた。

自営業の家で生まれ育ったひとだ。自分次第でモノ、ヒト、カネが動く商売の醍醐味を一度経験してしまったら、もう専業主婦には戻れない。外で働いてみようと、二社ほど応募するものの会社員経験のない主婦に門戸は開かれなかった。

「やっぱり私は自分でやらないとダメなんだわ」。そう思い直すと、ふいに、子どもたちがまだ幼いころ、ママ友に言われた言葉が思い出された。

当時、息子や娘の友人を自宅に招き、よくホームパーティーを開いていたという。料理好き、もてなし好きは、母親譲り。大喜びの子どもたちに、そのママたちが感心して言った。「越野さん、おもてなし上手なんだからサロンとかラウンジとかやったらいいのに」。カードショップをやっていたときも、似たようなことを女友だちが言っていた。「小学生の相手ができるんだから、酔っ払い相手なんか簡単なんじゃない？」と。

　本人は口にしなかったが、想像するに女性たちは越野さんの容姿も加味して水商売を勧めたのだと思う。私がそう指摘すると、「そんなことないわよ」と笑い、思い出したように言った。

「カードショップの物件を探していたら、不動産屋のおじさんが怪訝そうだったわ。「なんでカードショップ？　水商売向きなのに」って。そのときは、いやねえと思ったけれど、でも実際、こうなったから、おじさん、的を射ていたのかもしれない」

　バイト経験もなく、専業主婦からいきなりカードショップを始めたのにも驚くが、つぎは、飲食業だ。こちらももちろん未経験。しかも都心の一等地、渋谷での開業。居酒屋、バー、小料理屋など、競争相手がひしめきあっている激戦区でもある。度胸があるのか、怖いもの知らずか。

「度胸はあると思います。でも、ダメだったら三カ月でやめようとも思っていたから、お店には最小限のお金しかかけませんでした。自己資金で車一台分ぐらいかな。女ひとり、うまくいかなかったら、また働けばいいじゃないと。だから気負いはなかったですね」

それは本音に違いない。子どもたちは大学生と高校生になっていた。ようやく自分の好きなようにできる第二の人生が始まるのだ。

父の有田焼で器をそろえ、そこに盛るのは、私の家庭料理。食い道楽の父親と、料理上手の母親のもとで舌と腕を磨いてきた。仕事帰りの宿り木を求めるひとびとには、レストランのご馳走より、ホッとできる家庭料理とお酒のほうが喜ばれるかもしれない——。そうイメージすると、物件探しが始まった。

占い師のお告げ

「早かった?」

雨の匂いをさせながら、またひとり中年の男性がやってきた。女将に「ユウさん」と呼ばれた彼は、黒いシャツの雨粒をさっとハンカチで拭きながら「また雨が落ちてきたよ」と言った。

「とりあえず、生」

「山田さんはまだ飲めないのかしら」

ビールサーバーからグラスにヱビスビールを注ぎながら、女将。

「いいえ。私もいただきます」。そう答えると、帽子の紳士が嬉しそうに言った。「きみも好きなんだね。夕方になると飲みたくなるんだろう。ほら、ママもしゃべってばかりいないで飲みなさい」。酒を勧められた女将は、客と自分用にハイボールをつくり、「いただきます」と着物のすそに手を添えて磁器のグラスを掲げた。

「あれは手羽先？」「いえ、メヒカリの唐揚げです」「いやあ、歳とると目も耳もダメになっちまうなあ。このおひたしは何？」「ゴーヤのナッツ和えです」「これとこれ、ちょうだい」「ゴーヤとおくらつくねね、はぁい」「お通しどうぞ。マグロのやまかけです」「オクヤマさんも何か召し上がる？」「うん、何か食べたい」「昨日はサザエでしたね。肉じゃが、ブリ照り、ちくわの磯辺揚げ……」「魚」「ブリ？　メヒカリ？」「メヒカリにしよう」

冷たいビールで喉を潤し、しばし酒場の日常に身をひたしていると、「そうそう。店の場所は占いで決めたって話しましたっけ？」。越野さんが手を動かしながら言う。占い？　意外な言葉だった。現実的なひとだと思っていたからだ。「自分でこうと決めていたけれど、最後に背中を押してもらえる何かが欲しかった」のだそうだ。「占いなんかぜんぜんわからないし、興味もなかった。だから最初で最後。それ以来、占いに頼ったことはありません」。友人が探してくれたその占い師は、とにかく当たると評判で、越野さんを見るなりこう進言した。

「屋号はひらがなで『こしの』にしなさい。それから必ず着物で店に立つこと」

忠実に実践したんですね。感心すると、「そのへん私、生真面目だから」と笑った。

店の場所も、占いの力を借りた。当初、渋谷は考えていなかった。原宿、代々木、新宿の順に候補にしていたが、条件に見合う物件はなかった。範囲を広げると、ここ百軒店の物件に出合った。雑居ビルのなかではあるが一階は魅力的だ。下見に行ったとき、まだ前の店が営業中だった。そこはジャズバー。アナログレコードが壁一面に並び、文化的な薫りにも惹かれた。ただ……。いまでこそ若い世代の洒落た店も増えたが、十五年前はまるっきりの風俗街。黒いスーツを着た強面の男たちが点々と立ち、めぼしいカモはいないかと物色している。物騒だ。怖い。こんなところで大丈夫だろうか。迷った越野さんは、例の占い師に物件情報をＦＡＸした。

「悪いものが一切見えません。そこに決めてください」

きっぱり断言。こうなったら信じるしかない。決めた。渋谷に賭けてみよう。

ゴルフと富士山

占い師からは、追伸があった。

「六月までにオープンするように。難しければ今年は諦めてください。もうひとつ。

北の方角に五回、行ってください。旅行で出かけるのもよし、食事をするのもよし。とにかく北へ。運気が呼び込めます」

一月だった。あと半年。時間があるようでない。その日から、六月に間に合わせるべく、奔走した。北へもきっちり五回、出かけた。ひとりで北海道に流氷も見に行った。そうして二〇〇六年六月十日。渋谷の賑やかな坂の途中、ビルの一階に『こしの』の灯りがともった。

「ダメだったら三カ月でやめよう」。頭の片隅に、そんな逃げ道を残しながらの船出だった。開店にあたっては、親しい友人たちに知らせた程度。なんの宣伝もしなかった。店の名に「食べものや」とつけたものの、雑居ビルの看板にそう掲げただけだ。とうてい、ふりの客は見込めそうもなかった。

でも、『こしの』の灯りは三カ月どころか、十五年たったいまも灯り続けている。ボウズだった日は、これまでに一日のみ。その日は、落ち込むでもなく、「こんなもんか」と早仕舞いして、さっさと帰ったという。翌日、「昨日は誰もみえなかったんですよ」と話のネタにすると、客たちが真顔になって言った。「なんで連絡してくれないの」と。そのうちのひとりは、高級焼酎「魔王」をボトルで入れ、前日の売上ゼロを相殺してくれた。その客は、いまも『こしの』の常連だ。

占い師のアドバイスを生真面目に守ったからだろうか。強運が味方をしてくれたからだろうか。ひっそりとして見つけにくく、何を商っているかもわかりにくいのに、客は入った。オープン当初は、知り合いが多かったものの、客が客を連れてきてくれて、そのうちの何割かが気に入って通ってくれるようになった。そうやって着実に常連が増えていった。がらんとしたさみしい夜が続くと、不思議と上客が仲間を連れて飲みに来てくれた。

たしかに、運の強さも味方しただろう。でも、それだけで、渋谷という入れ替わりの激しいまちに通用するとは思えない。その「運」を支えてきた彼女自身の何か、特別なものがあったのではないだろうか。

私はそのことを考えるとき、女将の語ったゴルフと富士山のエピソードが頭に浮かぶ。

店をオープンするとき、「ゴルフは絶対に必要になるから」と友人に勧められた。最初に購入したのは、いちばん安いクラブ。だが、半年ですべて買い換えた。

「ハマってしまったんです。安いクラブだと飛ばないからとかではなく、面白くないんですよね、自分好みでないと」

友人が言ったように、客のなかにはゴルフ好きも多く、ゴルフの話題で盛り上がることもよくあるという。常連たちと毎年開催している「こしの杯」は、二五回まで重ねた。ゴルフのどういうところにハマったのだろうか。越野さんは、自然のなかの気持ちよさもあるけれど、と前置きし、こう言った。

「思ったようにいかないところかな」

ゴルフボールをティーアップし、クラブを構える。白い球が弧を描いて飛んでいき、グリーンの真ん中にオンするイメージを描く。呼吸を整え、ショットを放つ。イメージしたとおりに打球が飛べば爽快だが、そう簡単にはいかないのがゴルフ。うまく芯を捉えられなかったのか、スイングが悪かったのか、コースを読み間違えたのか、風の向きの影響なのか。とにかく思いどおりにいくことはなかなかない。だから、のめり込んでしまうのだという。

ゴルフの話から、富士登山の話になった。店を始める前の年の八月。「人生が変わるから」という経験者の言葉に、そんな体験をしてみたいと思った。八合目付近の山小屋に泊まり、翌朝ご来光をめざして出発したが、不運にも大雨。濃霧がたちこめ、数メートル先も見えない。想像を絶する寒さにこごえ、やむなく断念。でも、越野さんは諦めなかった。翌年、店のオープン後、八月のお盆休みを利用して、ふたたび挑戦した。そして、見事、登頂をはたした。その日は一転、素晴らしい快晴に恵まれ、ご来光も、雲海に浮かぶ富士も拝むことができたという。

「やってできなかったことなので、どうしてもやりたかったんです」

越野さんは、登頂の感動をまるで昨日のことのように話した。以来、登山にもハマり、日本一高い山を攻略したからと、つぎは第二の高嶺、南アルプスの北岳に挑み、そして富山の立山に登った。目の前の麗しい着物姿の女性のどこに、そんな闘志がひそんでいるのかと感心するが、トップから挑んでいくあたりに、その内面性が表れているのかもしれない。

客が「六時間ぐらい？」とのんびりと聞いた。富士登山にかかった時間のことだ。越野さんは呆れた声を出した。「なに言ってるんですか、そんな簡単には登れませんよー。最初に挑戦したとき、両足の親指と人差し指の爪が全部剝がれ落ちたんですから」。

なんと。そこまでして成し遂げたかったのか。そして、同じ言葉を繰り返した。

「できなかったことがどうしても納得いかなくて」

自分の意のままにならないところに面白みを感じ、夢中になったゴルフ。両足の爪を失ってまでも登頂したかった富士山。このふたつの共通項は、「容易には手に入らない」ということだ。

少し前、人気俳優が行きつけの店としてテレビで紹介してから、ネットで『こしの』の情報をちらちらと見かけるようになったが、それまではほとんど皆無だった。常連たちがみな、「自分だけの店」として大事に守ってきたからだろう。

渋谷のまちを着物で歩く越野さんを見初め、方々聞き回ってようやく店にたどりついたという男性は言っていた。

「こうして今日もママの顔を見られるのが、おれの楽しみなんです」と。

照れくさそうに、恥ずかしそうに目尻に皺を寄せるその顔は、無防備で、どこか少年のようだった。彼だけじゃない。私は、ここで心底リラックスして、じつによい顔をして飲んでいる客たちをずっと見てきた。彼らはみな、女将の前ではありのままの自分を取り戻しているようだった。

男たちが素顔に戻れる場所――。それが『こしの』であり、知らぬうちに男の鎧を脱がせる不思議な魅力が越野さんにはある。

素の顔で気持ちよく笑い、よく飲む『こしの』の常連たち。その中心で、天性の女将が今夜も指揮棒を振っている。

こしの

野菜と対話しながら百まで

土井美穂

『あめつち』学芸大学

カウンターの暗がりにひとり

「ありがとうございました。お気をつけて、おやすみなさい」

最後の客を見送り、のれん代りに掛けている古い藍染めの布をしまう。片づけを終え、仕上げに厨房を磨き上げると、日付が変わるところだった。表を、猫がのっそり横切る。キジトラ柄のかぎしっぽ。あのコは、人通りがなくなるとどこからともなく現れる。ここは学芸大学駅のはずれ。公園や幼稚園のある住宅地だから、猫にとっても棲みやすいのかもしれない。

『あめつち』の女将、土井美穂はキジトラが路地に消えるのを見届けてから店内に戻った。

ひとびとの暮らしが息づくこの町に、彼女がカウンターだけの小さな店を構えたのは八年前のこと。料理は、おひたし、きんぴら、和え物、根菜の含め煮など、昔から日本の食卓に並んできた野菜を中心とした、飾り立てない小さな酒肴が用意されている。春は苦み、夏は勢い、秋は実り、そして冬はしみじみとした滋味を。四季を通してこの店を訪れると、並ぶ品書き、口にするものから旬を味わう喜びが静かに湧き上がってくる。

華美と対極にある料理だ。寄り添う酒もまた、控えめな味わいの純米酒ばかり。ささやくようにして話す女将の静謐なたたずまいに、この酒と料理。すべてが見事に調和しており、客たちもその和音の一部として加わっているかのような落ち着きである。

この静けさはどこかで味わったことがある。過去の記憶を巡らせ、神楽坂の「伊勢藤」だと思い至った。酒は日本酒一種類のみ。席につくと、黙っていても一汁四菜が供される。寡黙な主人が淡々と仕事をしており、客に話しかけることはないし、客も注文以外は黙って酒と向き合っている。私は同僚に連れられて初めて訪れたが、ほかはみな独酌のようだった。我々も黙って三杯飲んだ。しんとしてはいるが、不思議と緊張感はない。黒光りする柱や壁、中央に鎮座する囲炉裏で炭を熾し、お燗をつける主人の作法を眺めながら飲む燗酒のまろやかさは格別だった。

あのとき感じた、無音の贅沢。連れを気にせずにひとり酒を飲むこと、場を味わうことに集中できる喜びが、ここ『あめつち』にもあった。

「店を開いたばかりのころは、賑やかすぎて収拾がつかないときも多かったんですよ。でも、落ち着いてお酒を楽しめる場所にしたいと思って始めた店です。だんだんそういう酒場を求めるお客さまが増えてきて、そうではない方はたぶん自分の居場所ではないと気づかれたんでしょうね。そのうち来なくなり、いまではこの空間を味わうようにして過ごされる方が定着してきたように思います。今日のみなさんもとても気持ちのいいお客さまでした」

この日、私は何年ぶりかに再会する写真家の友人とふたりだった。ほかに、近所の大衆酒場から流れてきたらしい年配の明るいご夫婦。「うまいな」「いいね」とぽつり交わす程度の寡黙な大人の恋人たち。それに、カウンターの端っこでスローモーションのように時間をかけてゆっくり飲み重ねていたミドル男性がひとり。私たちは数年分のお互いの報告で長居してしまったが、すきっとした空気は終始変わらずに保たれていた。こんなに清々しい酒はめったに出合えない。気持ちのいい夜に、誰もが大満足して店をあとにした——。

さてと。女将は帰り支度を済ませると、照明をすべて落とし、営業中は使わない小さな裸電球だけを灯した。ここから先はひとりの時間。店を閉めたあと毎晩、儀式のようにして行うことがあった。

使い込んでこなれた麻のエプロンをはずすと、店の奥にストックしている日本酒の棚の前で腕組みをした。七本槍、竹鶴、冨玲、奥播磨、群馬泉、開春……。生酛造りや山廃などお燗向きの純米酒が暗がりのなかで静かに飲み手を待っている。本数は数えたことがないが、五〇本はあるだろう。そこから三本、選び抜くと、スローモーションの男性が座っていた端の席に腰掛けた。

吟味した三本は、翌日来店する客の好みをイメージした酒だった。ストライクゾーンが狭く、いつも納得の一杯を探し当てるのに苦労する。でも、気に入った酒と出合ったとき静かにうなずく姿がよくて、毎晩営業後にやっているひとり勉強会のテーマにしようと決めていたのである。

最初は、静岡の喜久酔。常温のまま口にふくむと、すっきりとした飲み心地のあと、米の旨みがおだやかに広がった。うん、これくらい控えめなのがいい……。

日本酒デビューは遅いほうだったが、昔から賑やかな居酒屋より、静寂を保つ凛とした古い酒場を好んできた。理想は大塚の「江戸一」。店内を一周するコの字カウンターの堂々たる風格。ピンと張った空気で飲む客はたいていひとりで、ほとんどが燗酒をとる。彼女もそうだった。

席につくと、銘々盆が置かれ、客たちはその小さな木彫盆を前に、自分だけの世界に没頭している。燗つけ台には女将さんが立ち、指と掌で燗の具合を注意深く確認し、布巾で拭ったあと、すっと差し出す。その無駄のない端正な所作を眺めているだけで十分。会話はいらない。つい先日も、一杯だけと決めてのれんをくぐったはずなのに、その静かな空間に身を浸しているうちに気づいたら二杯めが手元にあった。できることなら、ここにひと晩、泊まらせてもらいたいと毎回思う。それくらい、この酒場の空気を愛していた。

空気――。それは、彼女が女将としてもっとも大切にしていることである。『あめつち』は、ハレのご馳走とも、なかなか手に入らない稀少な酒とも縁遠い。雑誌なんかに紹介されると、何かすごいものが出てくるんじゃないかと前のめりに期待されるらしいが、本人は「SNS映えするような特別な料理などつくれないし、出そうとも思っていない」とのこと。むしろ、料理も酒も地味でいいと考えているのだろう。「江戸一」をはじめ、土井さんが憧れと尊敬で通った名酒場にあるのは、「素にして美」というような、手をかけすぎないシンプルな酒肴ばかり。そのさりげなさを好んでいるのだ。

――つぎのお酒は……。喜久酔の味の輪郭を舌に記憶すると、二本目を盃に注いだ。石川の奥能登の白菊。常温でも十分にまろやかで優しい味わいだが、少し燗につけると余韻が出てくる。これは、ひとつのお酒とゆっくり向き合う、あの方向きのお酒だわ。裸電球ひとつの細い灯りのもと、しんと静まりかえったカウンターで、女将はひとりうなずいた——。

静けさの価値

東京は、どこに行っても賑やかだ。雑音にすら感じてしまうこともあるくらいだから、静かな空間に出合うと、心からホッとする。「静か」であることは、大都市においては貴重なのである。土井さんは自身も酒場を愛する者として、静けさの価値を十分に理解しているに違いない。あるとき、珍しく声高の客がひとりいた。いつもとは異なる空気に、違和感をもったのは私だけではなかったと思う。つぎの瞬間、女将が抑えた調子で言った。

「もう少し声を落としていただけますか」

静かだが、きっぱりとした口調だった。注意された男性はハッと我に返ったようになり、自分ひとり浮いているのに気づいたのだろう。急におとなしくなり、早々に帰っていった。賑やかにやりたければ、ほかへ行けばよい。ここにはここの流儀があるのだから。

静けさこそが、誰に対しても等しく、ゆたかな酒場の時間をもたらす——。土井さんは自分自身が酒場めぐりをするなかで、行きついたその答えを、自分の店でもつくろうとしている。

数多ある酒場のなかから自分の店を選んできてくれるのだ。できることならすべてのひとが気持ちよく過ごせる場でありたい。そのためには、それぞれの客が、誰にも邪魔されず、自分の時間にひたれる空気が必要なのではないか。居合わせた客同士、相手の存在を気にしないでいられる空気をつくる。それが自分の役割だと女将は心得ている。

かつての「伊勢藤」には、壁に「希静」と書かれた額が掲げられていた。土井さんが守ろうとしているのは、まさにそれだ。

別の日のこと。近所の店の不満をだらだらと続けている客がいた。そんな話を聞かされて酒がおいしいわけがない。「耳が腐りそうです」。彼女は店の主として厳しい言葉で制したそうだ。

大塚の「江戸一」に流れるしゅっとした空気をつくりたい。店の内装を検討しているとき、設計士の友人にイメージをこう伝えた。「私もお客さまも、お互い黙っていても気持ちのいい空間にしたい」。友人はすぐに理解できなかったのだろう。どういうこと？　という顔をしている。土井さんは重ねて説明した。「できれば会話なく、誰もが黙っていて場が決まる店にしたいの」と。友人はしばらく考えるように黙ったあと、こう続けた。「それなら、土井さん笑っちゃだめだよ」。お客がひと言ふた言しゃべったあとに、にっこりされたらそりゃあみんな話したくなるし、聞いてもらいたくもなる。そこからどんどん会話が生まれて、あなたが思うようなしーんとしたなかでの満足感など得られないから、「笑っちゃだめだ」と言うのだった。

しかし、現実問題として笑わないというのは至難の業なのではないか。客に話しかけられれば、にっこりするのが自然だ。どこそこに行ってきたと聞けば、それを話題にしてしまうだろう。実際、そのとおりなんですと女将は苦笑する。

そんな悶々を知り合いに話したら、賑やかなのは、みんなが楽しんでいる証拠なのだからいいじゃない、と笑われたそうだ。そうかもしれない。同意しかけて、でもやっぱりと思い直す。彼女は、自分が理想とする姿を追求したいのだ。あそこは静かすぎて居心地が悪いとか、堅苦しいというひとがいても、それは仕方のないことだと割り切っている。誰しも好みがあるのだから。いけないのは、自分の気持ちがぶれることだ。ひとに何を言われても、流行がどうあろうとも、こうと決めたことを貫きたい。それが世の中に受け入れられなかったら、それまで。どこまでも一本気な女将は、そうした矜持を胸に、毎日店に立っている。

余韻が心地よい店

「記憶に残らない料理でありたいんですよね」

料理について私が訊ねると、土井さんは少し考えるように視線を宙に泳がせてから答えた。記憶に残らないというのはどういうことだろう。理解できずにいるインタヴュアーに、彼女はどう説明すればいいかとさらに逡巡していたが、目の前に置かれた煎り銀杏にたとえてこう言った。

「まさに、銀杏とか。なんでもないものがいい。こういうことでいいんだと思うんです」

このとき、私たちは荒木町にある居酒屋のカウンターに座っていた。酒場に対して独特のこだわりを感じた私は、彼女が行きつけにしている店でいっしょに飲んでみたいと誘ったのだった。

指定された店は、偶然にも私が東京に住んでいたころ、毎週のように通っていた小料理屋のあとにできた「タキギヤ」だった。『あめつち』同様、燗あがりする純米酒が二〇種以上並んでいる。土井さんの選んだ群馬泉の燗を差しつ差されつしながら、私は思い浮かぶままに質問を投げかけていた。

パチン、パチン。銀杏の皮を剝きながら、記憶に残らない料理などあるのだろうかと考えてみた。この銀杏だってたしかになんていうことのない酒肴だ。でも、こうしてふたり、同じ酒を飲みながらお互いの時間を分け合っている。それは特別なことなのだと思う。たとえ料理そのものがたいしたものでなくても、特別な時間とともに私はずっと憶えているような気がする。酒場を大切な居場所としてきた土井さんも、たぶん同じ気持ちのはずだ。彼女の言う「記憶に残らない」とは、もっと別の意図があるのだろう。土井さんがもっとも大切にしている「空気」。空気とは、つまりは居心地のことである。そうか、と思った。記憶に残ってほしいのは、料理ではなく、気持ちよく過ごせたという余韻なのかもしれない。

「ここ「タキギヤ」さんもそうなのですが、私が好きなお店は、店を後にしたときに気持ちよさだけが残っているんですよね。ああいい時間だったと、心地よく思える。私の店もそういう場所でありたいんです。あの料理がどうだったとか、あのお酒がどうとか、そういう詳細よりも、ここに来てよかったと、ほくほくとした気持ちになってもらえたらそれでいいんです」

なるほど、それならわかる。理解が及び、すっきりした私たちは猪口に残っていた酒を互いに飲み干し、つぎの酒を選びにかかった。すると、「タキギヤ」大将の陽気な声が耳に飛び込んできた。

「こないだ、ひっさしぶりにラグビーしたんすよ！　そしたら張り切りすぎて鎖骨を折ってしまって。へへへ。いやぁ、店やんなきゃいけないのに参りましたよ～」

威勢のいい大将の武勇伝をニコニコと聞いていた土井さんは真顔になって、「彼はすごいんです」と感心する。「いつも明るく溌剌としていて、お客さまにも気さくに話しかける。「おれ、いまこれにハマってるんすよ！」とか言いながら、店の空気の主導権をいつも握っていて、お酒がまずくなるような話をさせるスキを与えないんですよね。「江戸一」とは真逆ですが、空気づくりの達人であることには変わりありません」。

考えてみると、自分で店を構える人たちの多くは、自分が惚れ込んだ酒や生産者、あるいは故郷の味を知ってもらいたい、伝えたいなど、何かしらの軸を持っていて、それを店のカラーにしている。しかし、土井さんはそれがないという。そのかわり、どんなときも気持ちのいい空気が流れる酒場であろうと努力する。『あめつち』の個性は、むしろこの「空気」にあるのかもしれない。

初めてこの店ののれんをくぐったとき、清潔感のある男性が奥の席でひとり静かに酒杯を傾けていた。五十代半ばぐらいだろうか。女将とぽつりぽつりと話している様子から、常連さんだろうと察し、「よくいらっしゃるんですか？」と水を向けてみた。彼はちょっと恥ずかしそうに頷くと、「ここの雰囲気が好きで」と八重歯を見せて笑った。心からそう感じているのが伝わってきて、いいなあと思っていたら、さらにぽつり。

「なんかいいんだよね」

私は、その表現こそこの店にふさわしいと思った。具体的には何と言えないのだけれど、言葉に置き換えられない空気としての魅力が、そこに表れているような気がしたからだ。

料理は、加減ひとつ

彼女が記憶に残らない料理でいい、と言ったのは、表現しがたい「空気」のなかに、料理も、雰囲気も、店主と客も、ぜんぶ含まれているからなのだろう。料理そのものをないがしろにしているわけでは、もちろんないのだ。

料理をするうえで大切にしていることは何ですか。あえて問いかけてみると、また少し考えてから「加減でしょうか」という答えが返ってきた。

「ここは、季節の野菜をアテに日本酒を楽しんでもらう店です。だから、野菜と日本酒がお互いに引き立て合うことを念頭に、料理内容を思案し、調理方法を吟味し、味の塩梅をみる。つまり、その日用意する酒肴全体として〝よい加減〟を探すことに心を砕いています。

味の濃さ、甘さ、塩気、料理の温度――冷たさがおいしく感じるものと、熱々で喜ばれるもの――を、限られた品書きのなかでどう配分するか。バランスなのだと思います。あまじょっぱいものが複数あれば、ふだんは甘みを加えているものでもだしと塩気だけで仕上げてしまうこともあれば、塩気のものが多ければ、たとえば里芋を煮るときもみりんを足して甘みを補うことも。冷たいものばかりだと、たとえ夏でもどこかさみしいような物足りないような気持ちにさせてしまうから、必ずゆでたての枝豆とか、焼きたてで脂がじゅうじゅう音を立てる焼き魚など、熱のこもった料理を加えるようにしています」

味のめりはり、温度のめりはり、それに食感や彩りのめりはりもあるだろう。味にまつわる、そうした周辺をひとつひとつ「加減」することは、客がたとえ気づかずとも、結果として気持ちのよい空気につながるのではないだろうか。

また別の日、早い時間に訪れると、初老の男性がおひたしをひと口食べて、ひとりごとのようにつぶやいた。「この味のベースはどこにあるのかな」。

それは私も知りたいことだった。彼女の味は、だしの香りがきちんとするものの、強くはない。かといって淡いわけでもない。関東ではなさそうだが、関西とも違う気がしたのだ。

生まれは、大阪と京都のちょうど中間地点にある茨木市。転勤族だった父親の仕事の都合で、各地を転々として、最後に落ち着いた横浜がいちばん長い。でも、本人いわく「育った味は確実に関西」だという。東京のお蕎麦のように、きりりと濃口醤油が効いた味もいいけれど、土井さんが慣れ親しんだのは、丁寧にとっただしを淡口醤油で加減した関西風なのだそうだ。

十二年前に父親が亡くなってからひとり暮らしをしている母親は、もうすぐ八十になる。天ぷらが食べたいと思うと、朝から当たり前に揚げてしまうようなまめな女性で、土井さんが子どものころは、ベシャメルソースからグラタンをつくってくれたり、鶏と香味野菜を長時間煮込んでスープをとるようなことも日常的だったという。

「思い出すと、いつも笑ってしまうんですが」と、すでに含み笑いの土井さんが話してくれたのは、おおらかな母親と娘のあたたかな時間だった。

娘は中学生だった。肉じゃがを煮ていた母親に、「何をどれくらい入れるの？」と聞くと、「目分量よ」という。その加減がわからないから聞いているのだと食い下がると、炒めた具材類にだしと調味料を入れただけの汁気の多い状態の鍋に、やおら人差し指を突っ込んでその指を舐めた。あんたも味見してみなさいと促され、同じように指を鍋に入れて舐めてみると、全然味がなじんでいないから、おいしくない。これでいいのかと聞くと、「煮込む前のこの味を覚えておいて、煮詰めていって仕上がりの味がどうなるかを感覚で覚えなさい」。

土井母の指導は、一事が万事そんなふうで、調味料の分量も、調理の時間もレシピはなかった。「だいたい量はこれくらいで、あとはとにかく味見をしながら、自分がおいしいと感じる味に加減しなさい」。極めてアバウト。でも、料理とは本来そういうものだろう。レシピはひとつの目安に過ぎない。大事なのは、自分が「おいしい」と感じる加減を、繰り返しつくるなかでつかみとることなのだと思う。

星野道夫に導かれて

短大を出ると、一般企業に就職。いわゆるOLライフを送った。毎日、会社に出社して決まった時間働いて、お給料をもらったら、それで旅行をしたり、おいしいものを食べたり、それで十分だった。このまま定年まで働くのか、結婚するのか、子どもはどうするのか……。そういった人生設計のようなものを考える意識が稀薄だったのかもしれないと本人は振り返る。もう少しで勤続十年、というときになって、初めて小さな違和感が浮かんだ。

このままOLをしていて、私、輝けるのだろうか。突然湧いた疑問に、戸惑った。その瞬間から、会社員という生活が急に色あせていったという。もう自分が属する場所ではない。日ごとにその思いが募り、退職届を出した。三十歳。この先どうすればいいか、何もわからなかったが、別の生き方を模索する時期だということだけははっきりしていた。

旅に出た。目的も、予定もたてず、沖縄の島々を二カ月かけて回った。それから気候のまったく異なる雪深い信州・戸隠へ移動した。冬季のみ住み込みで働けるペンションを見つけたのだ。

おもな仕事は、部屋の掃除と食事の準備・片づけ。一日中、黙々と野菜を刻んだり、煮炊きをしたりする日々が楽しくて仕方がなかった。毎日、近くで収穫された新鮮な野菜が山ほど持ち込まれ、それらを洗うことから仕事が始まる。庖丁を入れたときの、ぱりんという新鮮そのものの音。切り口からしたたる瑞々しい野菜の液。さまざまな食材にふれているだけで幸せだった。台所という場所がどこよりも好きなのだ。朝から晩までずっと台所に立っていられるのは、喜び以外の何ものでもなかった。

料理というものが急に目の前に浮かび上がってきた。

大好きな台所で働けるなら……。想像してみると、それはとても自分らしい生き方のように思えた。

大きな方向が決まると、どうしても行っておきたい場所があった。

アラスカ。星野道夫の写真と文章を通じて、魅了された極北の自然。動物たち。そして美しくも厳しい環境に生きるひとびと――。星野さんが目にし、出会い、心震わせた「アラスカ」という世界を、実際にこの目で見てみたかった。

いま思えば、あのときのアラスカ旅行が、彼女にとって重要なターニングポイントとなった。北極海に浮かぶ地の果てのような場所で、スイッチ・パブリッシングの社長、新井敏記（としのり）さんと出会う。土井さんを料理人へと導いたキーマンのひとりである。

新井さんは、星野さんとゆかりのある先住民族の取材で、カメラマンとともにやってきていた。ふたりは、女性がひとりでアラスカを訪れたことに驚きつつ、「いっしょに行動しよう」と誘った。沈まぬ太陽、そびえ立つマッキンリー山の荘厳さ、ムース、カリブー、グリズリーベアといった極北の大地に生きる野生動物たち……。星野道夫はすでに亡きひとだったが、彼と親交のあった新井さんとともに過ごしたことで、土井さんにとってアラスカの風景は一生忘れられないものとなった。

日本に戻ると、いよいよ「食」の道に入っていった。料理人としての経験をすぐにでも積みたかったが、未経験三十過ぎの女性を雇ってくれるところはなかった。スタートは、クッキングスタジオの講師。そのうち、休日を利用して尊敬する料理人のもとで修業させてもらえる機会に恵まれた。のちに述べるイチカワヨウスケさんである。料理というものの本質に近づきたい一心で、無我夢中で食材と向き合う日々を過ごすうち、あっという間に六年の歳月が流れていった。

あるとき、思い立ってチェロのコンサートを聴きに行った。会場は、偶然にもスイッチ・パブリッシングが運営するカフェだった。そこに新井さんが立っているではないか。思いがけぬ巡り合わせに驚いただけではない。縁とはなんと不思議なものだろう。ちょうどカフェのシェフが辞めて料理人を探しているという。土井さんはそれから三年、このカフェで働くことになった。

そこは出版社が運営するカフェという一風変わったスタイルもあり、客の多くは編集者やカメラマン、デザイナーなど、クリエーターばかりだった。社員食堂のように毎日食べにきてくれるひともいて、すぐに顔なじみに。彼らに食事を提供することは、彼女にとって〝家族〟のごはんをつくっている感覚だった。なにより、流行などに関係なく自分のアンテナで心に響くものをキャッチするひとたちから、嬉しい言葉をかけてもらえたことは大きかった。料理人としての自信につながり、女将として自分で店を経営するようになったいまも、土井さんの背骨をしっかりと支えている。

すべて自分で引き受けたい

最初のインタヴューで、『あめつち』というきれいな名前の由来を尋ねたとき、「野菜を育てる恵みの雨（あめ）と、大地の土（つち）に対する感謝の気持ちを込めて」というような説明を受けた。「扱う食材が自然のものなので、自然界を連想させる名がいい」とも言っていた。しかし、荒木町で酒を酌み交わしていたら、「お客さまには話したことはないのですが、もっと個人的な思い入れがあるんです」と、店の名前に込めた想いについて語ってくれた。

スイッチのカフェの名前は、「レイニーデイブックストア&カフェ」といった。「あめ」は、英語で「Rainy」。そう、『あめつち』の一部に、自分を導いてくれた大事な場所の名前を忍ばせたのだった。

「長野のペンションで働いて以来、ずっと食に携わっていきたいと思ってきました。でも、誰かの店に入って料理をつくっている限り、何かあると辞めなくてはならなくなる。何度かそういう経験をして、自分の力の及ばないところで人生が変わってしまうのはしんどい。ならば、自分ですべてを引き受けられるよう、自分でやろうと。本気で考えるようになって、その覚悟を固めてくれたのがレイニーデイカフェだったんです」

　自分ですべてを引き受ける——。それは、たやすいことではない。いかなることが起きようとも、ベクトルを自分に向けなければならないのだ。逃げ道はない。しかし、土井さんはそのほうが楽なのだという。

「自分の経営でなければ、いくらでも言い訳ができてしまいます。私はそれがいやなんです。いいことだけでなく、悪いこともぜんぶ自分で背負ってしまったほうがいい。自分の判断でやっているのだからと考えれば、納得がいくんです」

　私は聞きながら、茨木のり子の代表作「自分の感受性くらい」を想起せずにいられなかった。

　詩人は自分を戒めるように、綴る。駄目なことの一切を、何かのせいにはするな。すべては自分の感受性から生まれるものなのだからと。そして、こう締めくくる。

「自分の感受性くらい　自分で守れ　ばかものよ」。ばかものよ、はもちろん他者ではなく、自分自身に向かって放たれた言葉である。清冽な印象を残すが、作者は決して強靭な精神の持ち主ではなかったと思う。むしろ、ややもするとひ弱に流れてしまいそうな自分を律するために詩作に向かっていたのではないだろうか。そしてその姿勢は、自分に言い訳する余地を残したくないという土井さんと重なって見えるのである。

レシピよりも大事なこと

『あめつち』の料理は、季節の野菜が中心である。野菜を主役にしようというのは、早い段階で考えていたことだ。

影響を受けた料理人が精進料理を専門とする人物だったのだ。

クッキングスタジオの講師をしていたころに出会ったイチカワヨウスケさん。鎌倉「なると屋＋典座」の店主で、その人気から複数の著書もある。土井さんは、ひと月ごとに変わる献立を楽しみに、毎月、横浜の実家から通った。彼の手からつくり出される料理は、ハッとするほど野菜の力強さに満ちていて、不足をまったく感じさせない。満たされてなお清々しい余韻がいつまでも残った。旬の野菜は人間の体の求めに静かに寄り添ってくれるということも彼の料理で気づかされた。

自分も、季節の野菜でこんなに満足感が高く、印象深い料理がつくれたら……。そう思いながら、「なると屋」に通っていたある日。食後にイチカワさんと会話をする機会があった。そのとき、思いがけない誘いを受ける。「ここで仕事をしませんか?」と。それから、平日はクッキングスタジオで働き、週末はイチカワさんのもとで修業する日々が始まった。

そこで学んだことでいまでも肝に銘じているのは、「まず野菜の姿をみる」ということだ。じゃがいもひとつにしても、同じものはひとつとしてない。時期によって、採れた場所によって、水分量も違えば、重さ、皮の厚み、繊維の硬さなども違う。だから、決められたレシピに頼るのではなく、ひとつひとつの個体差をよく観察して、どう料理すればおいしく仕上がるかを見極めなければならない。

素材を見ずして料理すべからず――。それが精進料理の道を究めるひとから教わったいちばん重要な心がまえである。

「ときに、野菜の前で立ち止まることもある」という。にんじんは輪切りにしようと思っていたけれど、この細さなら切り方を変えたほうが食感を出せるかもしれないとか、このかぼちゃは庖丁を入れたときの感覚で水分をよく含んでいるようなので、煮しめにすると型崩れしてしまいそうだ。いっそのことすり流しにしてしまおうか、とか。葉まで勢いのあるかぶが手に入った。ふだんは葉と実を落として使うけれど、生命力あふれるこの感じをそのまま生かしたい。葉をつけたまま、縦に切って焼きかぶにしてはどうか。あるいは蒸してもいいかもしれない……。

そんなふうに、手にした野菜の状態を確かめ、その日の気候や、ほかの料理とのバランス、こうしてみたいという感覚を大切にするようにしている。だから、昨日の白和えは、和え衣に甘みとコクがしっかり感じられたかもしれないが、今日のはあっさりしているというような違いは日常茶飯事。同じ料理でも、いつも同じ味にはならない。それが自然なことだと、土井さんは考えている。

野菜が生きる糧をつくる

さらに、東日本大震災が野菜への意識をさらに深めさせることになった。炊き出しのボランティアのため、岩手県大船渡市を訪れたときのことである。

救援物資が届きにくい孤立した地域に、野菜をふんだんに加えたスープやシチュー、煮物などのおかずを届けた。「温かい食事がありがたい」「野菜が食べたかった」。みなさん、久しく火の入った手づくりの料理を口にしていなかったのだろう。涙ながらに喜ばれたそうだ。土井さんは「そのあとのやりとりが忘れられない」と、いま聞いても他人事とは思えない話をしてくれた。

「一様におっしゃるんです。あちこちから届けられる菓子パンやカップ麺などで最初はしのいでいたけど、もう喉を通らないんだと。せっかく送ってもらっているのに捨てるのはしのびない。あんたたち、手弁当でやっているんだろうから、朝食代わりにでも持っていってもらえないだろうかって」

申し訳なさそうにしている婦人の疲れた顔に、土井さんはただ「喜んでいただきます！」と受け取るしかできなかった。この、胸が締めつけられるような被災地での経験のおかげで、人間にとって「食べる」とは何か、深く考えることができたという。

ひとは生きるために、食べなければならない。災害時では、菓子パンでもおにぎりでも命をつなぐために空腹を満たすものが必要だ。しかし、それだけでは人間は自分を維持することができない。体力も気力も持ち堪えられないのである。

スープを手渡すと、「野菜が体に沁みる」とみな喜んでいた。肉や魚ももちろん必要なたんぱく源だが、避難生活などでとことん弱っている心身には、野菜のやさしい滋養がいちばんだったのではないだろうか。スープに安らいでいるひとびとの姿から、彼女は大事なことを学んだ。野菜には、ひとの心と体を癒やす力があるということだ。

炊き出しチームのなかには、被災した料理人たちもちらほらいた。避難所でじっとしているより、誰かの役に立てることが嬉しいと、被災者でありながらボランティアを買って出ていたという。彼らは、食材にふれているだけでも心が落ち着くといって、大量のじゃがいもの皮を剝いたり、にんじんを刻んだりしていた。みな、先々の不安を抱えていたに違いない。でも、料理をしているときの姿は、土井さんの目にじつにいきいきとして見えた。

食事を届けるひとと受け取るひと。双方の立場に接して感じたのは、「食べる喜び」と「つくる喜び」、その両方があるということだ。「食」には、生きる糧になる力がある。被災地での学びは、この先もずっと食に携わっていきたいという彼女自身の糧となった。

それから十年。

『あめつち』の女将となった土井さんは、今日も開店前の静かな台所で仕込みをしていた。葉野菜を水に放ち、生気を取り戻すのを待つ。大根は厚めに皮を剝き、面取りをしてから下ゆでする。百合根は一枚一枚ていねいに剝がし、かき揚げにすべくスタンバイ。分葱は葉の先端をちょこっと切ってからたっぷりのお湯でゆがき、ぬめりをこそぐように絞り、緑色をくっきりと仕上げる。ぬたのための下ごしらえだ。

こうやって日々、季節の野菜と対話をしていると、このままずうっと、死ぬまでずうっと、この台所に立っていられるような気がしてくるのだという。

その思いは、年々強くなっていて、最近は客の前でもつい口走ってしまうらしい。「私、百歳までお店を続けたいんです」と。みな笑うそうだが、私には見えるような気がする。白髪の女将が、大好きな台所に小さな腰掛けを持ち込んで、気に入りの酒で客たちをもてなしている姿が。

たぶん。いやきっと。そのときも店に立つのは女将ひとりだ。

だしに始まり、だしに終わる

田中悦子　『さかなのさけ』六本木

忘年会も新年会もない六本木で

「ずいぶん冷えてきましたでしょう」

二〇二〇年十二月の六本木。白い湯気とともに差し出されたお椀には、菜の花と魚の切り身が静かに浮かんでいた。

澄んだ液体をまずひと口。きれいな味。だしと素材のうまみをたたえた熱い汁がすーっと胃袋まで染みわたっていく。淡さのなかに奥深さを感じ、そう伝えると、盛り箸でお椀のなかを整えていた銀髪ベリーショートの女性が言った。

「特別なことは何もしてないんです。湯がいた菜の花とカンパチのお刺身をお椀に盛って、そこに熱々のだしを注ぐ。ただそれだけです」

調味料は加えていない？　私の舌は、ほんのりとした甘さも塩味もコクも感じ取ったのに。

「材料のおかげです。よいものを使えば、その野菜なり魚なりからうまみが出ますから。いつも思うんです。逆上がりできない子にね、ちょっとお尻に手をあててあげると、くるっと回るでしょう。あんな感覚ですね」

和食の心ともいえる「素材の重要性」を、こんなチャーミングな喩えで表現するとは。和食とは何か、料理って何だろうということを、日々、季節の素材にふれ、手を動かすなかで見つめ続けてきたひとならではの言葉だと思った。

「えっちゃんの料理がどうしても食べたくなって、こんなときだからどうしようかと悩んだんだけれど、やっぱり来てよかった……」

隣りで私と同じくひとり飲みを楽しんでいた女性が、しみじみとつぶやいた。私たちがカウンターを分け合っているのは、六本木の表通りから少し離れた路地に構える『さかなのさけ』。客たちがみな気さくに「えっちゃん」と呼びかける、料理人で女将の田中悦子さんが目利きした各地の旬を生かした和食と、おっとりとした大阪弁が耳に心地よい夫の秀嗣さんが探し求めた日本酒を楽しむ酒場である。

この夜、私も隣りの女性同様、「こんなとき」だけれど、いや「こんなとき」だからこそとの思いで、しばらくご無沙汰していたこちらに足を運ぶことにした。

地下鉄の階段を上がり、六本木交差点に出ると、まちはいつになくひっそりとしていた。年の瀬だというのに、クリスマスの華やぎも忘年会の賑やかさもない。冬に入り、ふたたびコロナ感染者が増えていた。対策として国も都も、不要不急の外出自粛を呼びかけており、東京の飲食店の多くは、都の要請で二十二時までの時短営業を実施。ここ『さかなのさけ』も同様だった。

「かき入れどきの年末に早仕舞いするのは正直痛いけれど、しゃあない。いまはとにかく感染拡大を防ぐこと。コロナを収束させることのほうが先決ですから」。秀嗣さんの言葉に、悦子さんも静かにうなずく。

思うような営業ができないもどかしさと、一日も早いコロナ収束を願う気持ちと。大きなジレンマを抱え、苦しんでいる飲食店経営者たちを間近に見てきた私は、地方よりひとの数が圧倒的に多い都心のほうが厳しいだろうと予想していた。みな、密を避けて行動するからだ。さらに、家賃が格段に高いことも、東京の飲食店を苦しめているに違いなかった。

「こんなときだからこそ」と足を運んだのは、好きなお店に応援の気持ちを伝えたかったからでもある。隣りの女性も思いは同じ。彼女は十九時を回ったばかりで席を立つと、お会計をしながらふたりを励ました。

「また必ず来ます。頑張ってくださいね」

「おおきに。ありがとう！」

女性を見送る悦子さんと秀嗣さんの表情は、晴れ晴れとしていた。コロナの感染源としてやり玉にあげられ、お上からの度重なる要請に翻弄され、いまだ先行きの見えない状況に、さぞかし疲弊しておられるだろうと思っていたが、どっこいどうして。ふたりともすこぶる元気ではないか。

緊急事態宣言下の引きこもり料理教室

「今年の三月、まわりではお客が減って大変だという嘆きも聞こえていましたが、うちはありがたいことに忙しかったんです。ただ、一方でこのまま開けていていいのだろうかという不安もあった。そんなときに、お客さまの知人がコロナに感染して入院した。私たちは彼がFacebookに公開していた入院生活を読んで、なんて恐ろしいウイルスかと。こりゃあ店の営業どころじゃないとなって、三月二十九日から完全休業を決めました」

休業は六月四日まで、約二カ月におよんだ。長い長いお休み。どうしていたのだろうか。

「食べてくれるひとがいるのが張り合い」という悦子さんは、四月の緊急事態宣言で国民みなステイホームになるなかで、自分も自宅にこもりながら考えた。

「みんなが自炊しなければいけない状況。ふだん家で料理をしないひとたちは途方に暮れているんじゃないかしら。リモートワークで働きながら、家族の食事を一日三食用意しなければならないお母さんたちはさぞかし大変だろうなあ」

食を生業としている身として、何かできることはないか。悶々としていたところ、一通のメールが秀嗣さんのもとに届いた。ひとり暮らしの常連女性からで、料理が苦手な自分にでも簡単につくれるレシピを教えてほしいという内容だった。「ほかにも困っているひとはいるだろうから、Facebookで公開するのはどうだろう?」。

秀嗣さんの発案に、「少しでも役に立てるなら」と悦子さんも腕をまくった。

こうして始まったのが、「えっちゃんの引きこもり料理教室」である。

「このご時世、あれこれ材料は揃えられないだろうから、家に転がっていそうなものだけでつくろうというのがコンセプト」

初回はキャベツ炒めだった。教わらなくてもできるけれど、「おいしく」つくるにはコツがある。

えっちゃん先生が伝授したポイントはふたつ。まずはキャベツを冷水に三十分ほど浸けておくこと。このひと手間で、キャベツは水分を吸って生き返り、炒めたときにシャキッとおいしく仕上がるのだという。もうひとつは、油をひいたフライパンにニンニクを入れて香りが立ってきたら、キャベツを加える前に、塩をすること。「キャベツを入れてからだと、どうしても火が通り過ぎてしまうのよね。先に味を決めておいてキャベツを加えたら、にんにくの香りをまとった油と塩をキャベツにサッと絡める感覚で火を通す。炒め時間は三十秒もかかりません」。

炒める前に塩！　目からウロコのオリジナル技は、のべ四〇回ほど公開された料理教室のそこここにちりばめられていて、回を追うごとに人気上昇。レシピをアップすると、その翌日につくってみたと写真つきで報告するひとが続出した。コメント欄に、「簡単なのにめちゃウマイ」「無精なオレでもできた」などの喜びがあふれ、反響の大きさから人気料理雑誌の誌面を飾るまでに。

「料理ができないひとを想定して始めたら、けっこう料理好きやプロからも反応があって、図に乗ってしまった（笑）。でも、お客さまとの交流が続けられたおかげで、気持ちが明るくなりましたね。内心、このままお店ができなくなるんじゃないかと不安だったんです」

悦子さんはその反応に励まされたというが、それ以上に救われていたのは、オーディエンスのほうだ。秀嗣さんの陽気な語り口やよだれが出ちゃう料理写真に、笑顔を取り戻したひとは多いだろう。常連は、「えっちゃんの料理が恋しい」と焦がれ、行ったことのない〝未来の客〟たちは、「食べてみたい！」と店の再開を心待ちにした。

ありあわせの材料でちゃちゃっとつくる家庭料理から洗練の和食まで自在にこなす、みんなの味方〝えっちゃん〟。彼女はどうやって、料理というものを体得してきたのだろう。

「私が若かったころは、女性の料理人なんかほとんどいなかった。だから、勤めをもつ主婦が修業に出るとか料理学校に通うなんて無理。自分でお勉強です。だしのとり方、魚の捌き方、煮物の炊き方、そういう基本を、毎日、料理をするなかでこうかな、ああかなと学習してきました」

それが家庭料理の域を超え、お客に提供する「和食」という高みに昇華できたのは、彼女自身の、並外れた探究心にあったのではないだろうか。私は、目の前でフライパンの中身に一点集中している背中を見つめながら思った。

女性料理人の先駆者

性格は味にあらわれる。悦子さんの料理からは、「中途半端が嫌い。偽物も嫌い。本物で勝負いたします」という本人の声が聞こえてくるようだ。実直な職人気質は、東京江戸川で建具屋を営んでいた父親譲りだろう。秀嗣さんとは、二十一歳のとき旅した長野で知り合った。大阪で所帯をもったことが、料理にのめり込んでいくきっかけとなる。仕事帰りに商店街をのぞくと、東京では見たことのない魚や野菜が並んでいた。どれも安くて新鮮だ。好奇心旺盛な悦子さんは、「どうやって食べたらおいしい？」教わりながら、つぎつぎと新しい料理を考案。魚の捌き方も、魚屋でおろしてもらっている手元を観察して覚えた。料理するのが楽しくて、毎週のように友人たちを呼び、〝実験料理〟を披露した。そのうち「自分の料理で店をやってみたい」と思うように。腕を見込まれ、居酒屋の料理番を任されたこともあったが、所詮は雇われだ。つくりたいものを自由にできず、不完全燃焼に終わった。

大阪暮らしも七年。転機が訪れる。ふたりが大好きだったフランス料理店のご夫婦を「大胆にも」招いたときのこと。悦子さんは嬉々として当時の得意料理、東坡肉（トーロンポー）（豚の角煮）、八宝菜、じゃがいもの細切り炒めなどでもてなした。ご夫婦は料理を出すとうまいうまいとまたたく間に平らげ、こう言った。

「えっちゃん、こんな料理、旦那さんだけに食べさすのはもったいない。店をやり！」

この言葉に、ふたりとも大きな力をもらったという。迷妄の雲がパッと晴れた瞬間だった。

一九八七年七月、大阪船場に『さかなのさけ』をオープン。まるで回文のような店名は、「酒の肴（さけのさかな）」をひっくり返した語感のよさから決めた。

シェフ夫婦に太鼓判を押された「えっちゃんの料理」は大阪人の胃袋をわしづかみにし、あっという間に繁盛店に。バブル景気にも後押しされ、「忙しくて目が回るって本当にあるんだと思ったくらい。前のお客さまが入れ替わっているのに、顔も上げられずずっと料理していたから気づかないこともあった。おおきにも言えず、いらっしゃいませも言えなかった」というくらい、目まぐるしい日々が始まる。

船場は古くから繊維産業が盛んで、製糸関係や縫製品などの問屋がひしめきあっていた。界隈に勤める働き盛りたちが、仕事を終えるとお腹を空かせて店に押し寄せる。連日、満席。「えっちゃん、東坡肉と焼売ちょうだい！」「こっちも東坡肉ね！」つぎからつぎに飛んでくる注文に、三十代になったばかりの新米シェフは無我夢中で動いた。「お客さまに目が向いている料理人だったら違っていたと思うけど、私は材料にばかり集中していた。とにかく、ちゃんとつくらなくちゃと必死だったんです」。

長く船場の地に根をはり、常連をつかんできたが、一九九〇年代後半ごろから商業の中心だった繊維業が下火に。店の近所にあった大手企業の営業所や繊維会社もつぎつぎと撤退してしまうと、ガクッと客が来なくなった。自分たちの店だけではなく、船場全体からひとが消えていた。東京に活路を求め、十七年目の二〇〇四年十一月、いまの六本木に移転した。それから十七年、大阪時代を含めると三十四年、悦子さんは庖丁を握り続けてきた。

大阪で店を始めたばかりのころは、男性客から「ねえちゃん、煙草買ってきて」だの「こっちきてお酌してよ」だのとなめられがちだった。いまは違う。自分の腕で勝負する女性料理人は格段に増え、和食の世界で活躍するひとたちも目立ってきた。悦子さんはその先駆けのひとりといえるだろう。

今年、六十五歳になる。辛苦も経験してきた。何がいちばん辛かったですか？　訊ねると、「それは秘密」。じゃあ二番目は？　「それも秘密。一〇番目ぐらいから公開してもいいかな」と笑う。その人生を、私は想像することしかできないが、いま、目の前にいるベテラン女将は、生成り色のロングスリーブシャツをリーバイスのデニムにインしたエプロン姿で、自然体で立っている。

「さかなのさけの料理番でございます」

初めての客をひょうきんな挨拶でなごませると、「コチのちり蒸し、できましたぁ」「当店一番人気、ひろうすでございますぅ」。鼻唄でも歌う調子で、季節を味わう喜びを器のなかに盛り込んでいく。

春の訪れは、東北から届く山菜とともに。しどけの胡麻和え、あまどころの自家製マヨネーズがけ、ふきのとうやたらの芽の天ぷら……。舌を刺激するほろ苦さやえぐみを味わううち、山菜に蓄えられた生命の芽吹きが体を揺り起こす。夏の勢いは、大分から空輸される関アジでつかむ。いつぞやいただいた「関アジのレモン塩」が忘れられない。女将は手早く捌いて光る鰺に、ごくわずかの塩をふり、レモンをきゅっと搾って出してくれた。そのおいしさときたら。鰺のうまみと甘さが極立っていた。秋の走りに訪れたなら、ぜひ鱧をいただきたい。夏が旬とされるが、悦子さんいわく「九月のほうが脂ののりがよく、身も肉厚でおいしい」。さっぱりと淡白な味わいにうまみがのる。名残の鱧は、涼しい夕風とともに記憶している。そして冬。海水の温度が一年で最も下がるころ、冬の魚たちのおいしさは頂点へ向かう。真鯛、クエ、ヒラメといった白身魚の、贅沢な美味は当然味わうとして、誰もが「おいしい」と唸る「牡蠣のだしかけご飯」も忘れてはいけない。米ひと粒ひと粒に濃厚な牡蠣のだしが染み込んでいて、締めのつもりが「おかわりください」の衝動にかられる――。

こんな具合。自分で料理をしていると、ついあれこれしてしまいがちだが、悦子さんを観察していると、むしろ「しない」ことが素材のおいしさを引き出しているように感じる。そうやって生まれた料理は、見た目も味わいも、澄んでいて「きれい」なのだった。

もうひとつ。料理人の心にごまかしがないことも「きれい」に通じているのではないか。「おいしいものは、素材から生まれる」の信念から調味料も食材もよくよく吟味し、惜しみなくそこに投資する。その最たるものが、「だし」である。

料理はだしです

だしは和食を支える大事な土台。汁もの、煮炊きもの、ひたしもの、合わせ調味料など、焼きもの以外、だしの力によっておいしさを底上げしている。悦子さんは言う。

「料理は、だしです。以前、日本料理の修業をしてご自分でお店をやっていらっしゃる方からおひたしの作り方を教えてほしいといわれたんですが、それはむずかしいですね……と。秘密なんかひとつもありませんよ。ただ、だしが違えばすべて違ってしまう。だから伝えられないんです。私のだしと、その方のだしとは使っている材料もとり方も違うでしょ。おひたしみたいな単純なものほど、だしが大事。だしですべてが決まるんです」

「はいどうぞ」。手塩皿に注がれた黄金色に透き通った液体を味見すると、想像以上に濃厚で力強かった。「これに淡口醬油をちょろちょろと足したら、おひたし」。本来、おひたしとはだしに調味料を加えた「浸し地」にゆでた青菜などをひたしたものをいう。醤油をかけただけは本道ではないのだ。地味な存在で、品書きにあっても目を奪うものではないかもしれない。でも、私はおひたしこそ野菜本来の味わいを大切にする和食ならではの一品だと思っている。

悦子さんのおひたしは格別だ。菜の生命力と、贅沢にとられた一番だしが出合うと、ハッとするほど鮮やかであり、それでいて余韻がある。浸し地にはだしのほか、ごく少量の淡口だけである。この深さはいったいどこから?

「私がだしを学習した大阪は、道南（北海道）の昆布を大事にするんですよ。そのなかでも浜によって味が少しずつ違う。尾札部（おさつべ）、臼尻（うすじり）、川汲（かつくみ）……それぞれに等級があって、いろいろ試してみました。自分はどこかで修業をしたわけではないので、すべて基本からしっかりやろうという思いが強かったんです」

大阪の市場には、道南産の状態のよい昆布がそろっていて、鰹節も削りたての鮮度のよいものが五〇グラムから手に入った。大阪は求める味を探究するのに理想的な環境だったが、東京ではそうもいかなくなった。思いどおりの材料が手に入らなくなってしまったのだ。納得のいく味を求めて、現在もなお「もっとおいしくなるのでは」と試行錯誤を繰り返し、更新を続けている。

「いまは、もう一度基本に立ち返って鰹節を削るところからやり直しています」

最近、よい鰹節削り器を新調したのは、昔、刃に爪を引っかけてよく怪我をしていたから。新しい削り器は最後の最後まで気持ちよく削れるという。いま使っている昆布は大阪から取り寄せている臼尻産だが「しばらくこれでやってみて、また変えるかもしれません。興味があるんです。ほかの材料を使ったらどんなだしがとれるのか、自分が知りたいんです」。

極めようとすれば、終わりがないのが「道」というもの。悦子さんの「だし道」は、家庭料理から始まって、試行錯誤を繰り返してきた四十年とともにある。定まったわけではない。いまはこうだけれど、試しているうちにそっちのほうがいいと思ったら、躊躇なく切り替える。

現在の、だしのとり方を見せていただいた。

まず、前日から水に浸けておいた昆布の量の多さに驚く。五リットルほど入る鍋から昆布がはみ出さんばかりだ。八キロ単位で仕入れたものが、冬などだしをたっぷり使う季節は三カ月もたたずに消費するという。火加減も細い。悦子さん曰く、ほたる火程度の火加減で一時間ぐらい時間をかけ、昆布のうまみを引き出すのだという。

「途中、味を見ながら、うまみがじゅうぶん出たなと思ったら、昆布を引き上げます。手を入れてちょっと熱いなという程度の温度です。すぐさま火を強め、しっかり沸騰させてアクをとり、火をとめて温度が下がるのを待ちます。薄まるから差し水はしません。そこに削りたての鰹節を鍋全体に広げるようにして入れて自然に沈んだら味をみて、すぐに漉し器で漉してできあがり」

そうやって完成しただしは、『さかなのさけ』のほとんどの料理に使われている。たとえば、開店年からの名物料理「自家製ひろうす」。関東でいう「がんもどき」のことで、水切りした木綿豆腐に具を加えて丸めて油で揚げたもの。大阪時代、小料理屋で食べた一品から着想を得てアレンジを加えたという。初めて『さかなのさけ』を訪れたひとはみな、大皿に並んでいる茶色いテニスボールほどの大きさのものを何かと訊ねる。それぐらいインパクトがある品なのだが、そのまま提供するのではなく、だしに淡口を加えたお吸い物より濃いめのつゆをひろうすに煮含ませたところに悦子さんらしさが光る。油を吸ってコクが加わった豆腐の滋味に、にんじんやれんこん、しいたけ、海老、銀杏のにぎわいが加わり、ゆたかなだしがしっとりと風味をまとめている。

胡麻豆腐ならぬ「カシューナッツ豆腐」も女将考案の逸品。ここでも、だしが大事な隠し味となっている。カシューナッツに牛乳、葛粉などを加えてなめらかに裏ごしし、火にかけながら練り上げて弾力を出す。冷蔵庫できっちり冷やしたのち、煮切った酒に醤油とだしを加えたたれをかける。クリーミーなナッツのコクに、だしの香りが絡まった、上品な酒肴である。

だしは入っていないが、「サワラと春雨のベトナム風蒸し物」も悦子さんの料理を語るのに外せない。旅好きのふたりが九〇年代、メコンデルタのまち、ミトーの食堂で出合った料理をアレンジしたもの。身の厚い切り身魚に酒とベトナムの魚醤ヌックマムを少量かけまわし、春雨とともに蒸し上げたシンプルな皿である。魚醤の香りに包まれた白身魚はやわらかでふんわり。

やさしい、と思った。やさしいのは味の淡さではない。料理人の、料理に対する姿勢のことである。悦子さんの料理は、素材が主役。いかに目の前の食材をおいしく食べてもらえるかしか考えていない。そのための試行錯誤はだし同様、現在進行形だ。「白身魚の風味をより際立たせるには？」「鶏の滋養をすべて出し切りながら澄んだスープをとるには？」「関鯖、本来の味わいをストレートに出すためのメ加減とは？」。

その探究心、情熱が、悦子さんの料理に「やさしさ」をもたらしているのだと思う。

作為のないきれいな味

私は『さかなのさけ』が東京に移転して一、二年めのころから知っているのだが、じつは、しばらく足が遠のいていた。自分が拠点を東京から移してしまったこともあるが、それだけではない。あえて率直にいうと、いつ訪れてもメニューが代わり映えしないと思ってしまったのだ。季節の魚を盛り込むお造り以外、当時の自分にはほぼ同じに見えた。いま思えば、三十代に入ったばかり、定番より目新しさや刺激を求めていたのだと思う。

ふたたび熱を感じたのは、数年前。『さかなのさけ』を教えてくれた装幀家の先輩と飲む機会があり、久しぶりに伺ったときのこと。懐かしい品書きには、懐かしい品々がやはり並んでいた。ご主人の秀嗣さんが毎日手書きでしたためる文字は、〝田中フォント〟と名づけたいぐらい独特の丸みを帯びた味のある筆跡である。その夜私たちは、お造りを盛り合わせてもらい、ひろうすと、これも定番の千両なすの柚子味噌などをいただいた。久しぶりだったけれど、どの皿にも悦子さんが見極めた素材の素晴らしさと、おいしくなあれの気持ちがこもっていて、静かな感動があった。

そうして気づいた。『さかなのさけ』の魅力、すなわち悦子さんの料理の個性とは、あれこれ手を出して目新しさを追いかけるのではない。自分が長年かけて磨いてきた味を、日々、繰り返しつくり続けることで、さらなる高みへと磨き込んでいくところにあるのではないかと。

「若いころはもっと貪欲でしたから、いろいろな店に行って黙ってひたすら食べて研究していました。旅なんてその最たるものです。ベトナム、中国、タイ、ラオス、インド……。帰ってくるとインスピレーションを受けた料理をすぐに再現してみて、店のメニューに加えることもよくありました。昔は料理のジャンルを聞かれても、何料理というのがなかったくらい。いまはすんなり「和食」と答えられます。私たちも歳をとり、自分たちが心地よく食べられる和食に落ち着きました」

歳を重ねたのは、店側だけではない。大阪時代は客層も悦子さんたちと同じ三十代が多かったからみな働き盛りで脂っこいものやガツンとした肉料理が人気だった。しかし、いまはふたりの年齢とともに客の年代も上がった。ガッツリ系より癒やし系、しっかり味より淡味が好まれるようになり、以前の人気メニュー、東坡肉は消え、焼売、魚のカレーライスなどは年に数回登場する程度に。そのかわり、おひたしや野菜の和え物、煮物、魚の煮つけなど、だしベースのものが増えた。

しかも、その味つけは、同じようでいて少しずつ変化している。たとえば、昔はおひたしの浸し地に、酒やみりんも少量足していたが、「だしの味がきっちり決まれば、淡口醤油だけで十分」と引き算した。「きんぴらごぼう」や「大阪風なます」などの定番メニューも、調味料の配合が少しずつ違うという。

悦子さんはどんな食材でも調理する前に必ず味見をする。野菜でも魚でもまず生で食べてみて、「素」の状態の味を頭に入れておき、どう調理するかを考える。調理途中も何度も味を確認する。ここで止めてよいか。何か足りないか。過ぎてないか……。愚直に、同じ料理をつくり続けながら、思い描く味を表現できているかどうかを納得いくまで探っているのだ。

「全部食べて体が嬉しいものをつくろうと思ったら、結局、素材になっていくんですよね。だしは、その素材をよりおいしく食べていただくために欠かせない要素。東京にきて、さらに強くそう思うようになりました」

こうしようという強い意志があったのではなく、あれこれ試して悩みながらやっているうちにこうなった、という悦子さんの言葉が示すように、このひとから個性的であろうとか自分の技巧を披露しようとかいう作為はまったく感じられない。ただただ、素材に寄り添い、食べてくれるお客さまのことを思って手を使い、心を使っている。

料理のおいしい店は山ほどある大阪・東京で、『さかなのさけ』が多くのファンをつかんでこられたのは、自我や自力ではないところで料理と向き合っている悦子さんの「きれいな味」が食べるひとを心地よくさせるからなのだろう。

当の本人は、「いまだにプロ意識がないんです」と苦笑する。同業者から料理を教えてと言われると、どうぞどうぞとなんでも詳らかに説明するけれど、「かなりこそばゆい気分」なのだそうだ。「でも、毎日つくっているうちに、目の前の野菜や魚とお話ししているような感覚が生まれた。料理が本当に面白くなったのはそれからです」。

ここまで聞いて、私は料理研究家の土井善晴さんが同じことをおっしゃっていたのを思い出した。

「素材と対話する。それは力みではなく、なんかお芋が気持ちよさそうにしているなぁ、というようなものです。強引に「はやく柔らかくなれ」と思って火を強めても、おいしくなるどころか、崩れてなくなってしまう。優しく対話し、感覚と経験に照らして判断をくりかえしながら、視覚的、嗅覚的、触覚的に現れる「きれい」に導かれて調理する。優しく優しく豊かにしてやることで、非常にご機嫌な顔を見せてくれるわけですよね」（『料理と利他』土井善晴・中島岳志共著、ミシマ社）

力任せにおいしさをつくろうとするのではない。目の前の食材がご機嫌な顔を見せてくれるのをやさしく見守っている。それが「きれい」につながるのだという土井さんの料理論を、悦子さんは日々、厨房に立って食材とおしゃべりしながら、誰に教わるまでもなく身につけてきた。

ご主人の秀嗣さんがいつか言っていた。

「僕が見ていても、えっちゃんの探究心はひとの三倍あるんちゃうかと思うくらい。まるで料理を通じて生きるテーマを探しているみたいなんです」

料理を通じて、生きるテーマを探している――。

その言葉をご本人に向けると、くるくるとよく動く黒い瞳を輝かせて、自分の表現に置き換えた。

「ずっと、宝探しをしている感じ」

宝とは、今日を生きている充実感であり、悦子さんにとってその充実とは、

「お客さまの喜んでいる顔」

ほかに何の充実があろうかという清々しいまでの明快な答えが返ってきた。

還暦を過ぎて体力の衰えを痛感することもあるし、集中力が散漫になることも、正直ある。お母さまと愛猫を立て続けに亡くした哀しみも癒えていない。

「いろいろな事情でつらいときってありますでしょう。でもそういう日って、振り返ってみて一〇〇%、この方のお顔を見られたからお店を開けてよかったと思うんです。簡単には辞められません」

悦子さんの宝箱のなかには、たくさんのお客の笑顔が詰まっているのだろう。その

宝さえ握りしめていれば、この先、どんな難局が訪れても踏ん張れるのではないだろうか。

首都圏の緊急事態宣言延長が決まった二〇二一年二月二日。寒さの緩んだ外の空気にふれると、

「さかなのさけの料理番でございます」

ひとを和ませるあの笑顔が浮かんだ。

下町酒場から広がれ、世界平和

荘司美幸『はりや』鐘ヶ淵

酎ハイ街道の終着点

土曜の朝、ひとのまばらな京成線に揺られる。ねぼけた意識でうつらうつらしていたら、瞼をこじ開けるようにして強い光が差し込んできた。眩しさをこらえ、窓の外に目を向けると、朝日が川面を揺らす荒川の上だった。にわかに浮き立つ。この川を越えたら、もうすぐ立石。酒場の聖地、立石である。

三十歳を過ぎたばかりのころ。私の土曜はそのようにして始まった。いまほど、このまちが観光地化されていない時代。午前のうちからもつ焼き屋でわか焼き（レアを表す）のレバで鉄分補給し、梅風味のシロップを数滴垂らした焼酎ストレートを啜るのが儀式のようなものだった。それから立ち食いの寿司屋でエビス小瓶をとって、気ままに何貫かつまみ、腹が満たされて外に出ると、正午を回ったばかり。荒川土手を散歩するか、どんどん飲みたい気分のときは少し歩いて住宅街にある〝飲めるスーパー〟へ向かう。おやつの時間ともなれば、いそいそと駅に戻り、串揚げスタンドへ。マスターの下ネタにツッコミつつ串揚げをぱくり。午後五時。天童よしみ似の大女将のご尊顔を拝みに行くか、刺身もうまいもうひとつのもつの名店に行くか。そこからおでんやで日本酒、あるいは餃子とビール、あるいはうら寂しい食堂でマカロニをつつきながらホイスか……。

　このルーティンをほぼ毎週、励行していた。立石にお熱だったのだ。いまでこそ酒場女子は増えたが、当時はおじさんしかいないような酒場をひとりで飲み歩く女は少なく、物珍しかったのだろう、よく話しかけられた。そのなかに、京成線をはじめとする下町酒場に精通するおじさんがいて、自分ひとりでは絶対にたどり着けない（入れない）ディープな店を案内してもらったり、酒の割り材である炭酸の歴史について延々と聞かされたりもした。

「酎ハイ街道」の存在を教えてくれたのも、この下町酒場マスターだった。なんでも、京成押上線の八広駅から東武伊勢崎線・鐘ヶ淵駅までを結ぶ鐘ヶ淵通りには、甲類焼酎を謎のエキスでブレンドし、強炭酸で割った焼酎ハイボール（通称・酎ハイ）の名店が軒を連ねているのだという。

「ウイスキーハイボールは山の手のお坊ちゃまの酒。酎ハイは、東京の東、工場地帯で働く労働者のための酒。ハイボールは全国区だけど、酎ハイは東京下町だけで独自に進化してきた孤高の酒なんだ。どう、興味湧いてきたでしょ？」

地元立石で町工場を経営するおじさんは、そんな蘊蓄を語り、私を酎ハイ街道に誘った。

八広駅で待ち合わせし、鐘ヶ淵街道を北上しながらおじさんの案内する「ハイレベルな酎ハイ」を飲ませてくれる酒場をいくつかハシゴした。そして最終的にたどりついたのが、『はりや』だった。

もう十五年は経っているだろうか。細かいことは忘れてしまったけれど、住宅街の暗い夜道の先に、古ぼけた木造二階屋があり、「酒場はりや」の看板が闇に白く浮かんでいたのを憶えている。縄のれんをくぐると、小さなL字カウンターがあり、先客の男たちがすでにほろ酔いだった。艶のある銀髪をうしろに流したご主人は腰を下ろしてゆったりと構え、客と相撲だか将棋の話をしていた。我々の相手をしてくれたのは短髪の凜々しい女将さんで、「ここがナンバーワン」というおじさん推しの酎ハイをつくってもらった。それまで喉にガツンとくる強炭酸タイプばかり呑んでいたが、『はりや』のそれは炭酸の気泡がきめ細かくマイルド。調子にのって何杯も飲んだ気がする。じんわりとした酔い心地のなかで、ブランケットにでも包まれているような安心感があった。

あとから創業一九三一（昭和六）年と知り、あの円熟はそれだけの歳月をかけて店と客とが築き上げてきたものだったのだと納得した。

「惜しまれつつ閉店した昭和の名店、娘が継承」

そんな見出しのニュースに目が止まったのは、三年ほど前のことである。立石をきっかけに、「飲む」となれば昭和から続く古い酒場ばかり求めて歩くようになっていた私は、行く先々で「あそこも閉めるって」という話をたくさん聞いてきた。久しぶりに訪れた店で、「長らくのご愛顧ありがとうございました」の張り紙に呆然となったことも、一度や二度ではない。行きつけをもつということは、いつかその大切な場所を失うかもしれない寂しさもついて回るのだ。

二十年、酒場をうろうろするなかで痛感し始めていた自分に、「娘が継承」の文字は、光って見えた。よく読むと、十数年前に立石のおじさんに連れていってもらった『はりや』ではないか。閉店したことも知らなかったが、記事によると、区画整理のため二〇一六年十二月に八十五年の歴史に幕を下ろしたとのこと。再オープンは二〇一八年一月。解体された旧店舗のすぐうしろにあった木造アパートを店舗としてリノベーションしたと、その記事は伝えていた。

のれんの重みより、もったいない

『はりや』は、鐘ヶ淵のひとびとのサードプレイス（家庭、職場でもない、三番目の居場所）であると同時に、酒場文化に関心のある人間にとっては、戦前に誕生した極めて貴重な遺産酒場として巡礼されてきた。よくぞ継いでくれました！　私は名酒場をまたひとつ失わなくて済んだ喜びに、会ったこともない新女将に花束を贈りたくなった。が、よくよく考えてみると、酒場界では聖地と崇められた歴史ある店。のれんの重みに抵抗はなかったのだろうか。プレッシャーを感じなかったのだろうか。いったいどんな女性が、どのような想いで『はりや』ののれんを継承したのだろう。

「看板を背負う気持ちは、まったくなかったんです。ただ、もったいないなと。祖父の代から八十五年続けてきて、お客さんもついていたし、古い建具とか食器類とか、あの味わいは出そうと思っても出せません。昭和の木造建築だから、長い年月を経て板がすり減ったりシミだらけだったりするけれど、それがまた魅力じゃないですか。いろんな人生が染み込んでいる気がして。料理は母の担当でした。常連さんのリクエストに応じているうちにオリジナル料理がいくつも生まれて、いつのまにかうちの看板になっていた。そのレシピだってなんだって、ここで終わりにしてしまったら、ぜーんぶ消えてしまう。それでいいの？　自問したとき、私のアイデンティティは酒場に始まり、酒場で終わると思ったんです」

住まいは『はりや』の二階だった。小さいころから、店でおじさんたちが酒を飲んでいる姿をよく見ていたという。実家が飲み屋だと、酔っ払いがイヤで寄りつかなくなる子もいるが、荘司さんは「ぜんぜん平気。むしろ、手伝うのが当たり前の子ども時代だった」と振り返る。

中三のとき、母親が病気で入院。三、四カ月にわたる入院期間中、荘司さんが店に立って母の代わりに料理をつくった。父親からは「おまえに何ができるんだ」と期待されなかったが、働く母親の姿をずっと見てきた娘は、見よう見まねで酒のつまみをこしらえた。

「お刺身だったら、大根を桂剝きにして細かく刻んだものをツマにしてお皿にふんわり盛っていたよなと。そこに大葉を敷いて、魚は庖丁をすうっと引いて角が立つように並べていたとか。別に習ったわけでもなんでもなくて、興味があったから手伝っている間じゅうずっと観察していたんですね。母みたいにいろんな料理はもちろんできなかったけど、炒め物とか冷奴とかお刺身とか、簡単なものはなんとなくつくれた。

根っから、向いていたのかもしれません。おじさんたちに料理を運ぶでしょ。「大きくなったな」とか「きれいになったね」とか言われて、「あら、前は汚かったの？」なんて冗談で返していたくらい。「なんだよ、みゆきちゃんにはかなわないなあ」って、おじさんたち楽しそうに笑ってた。

酒場っていいですよね。老若男女、いろんなひとたちが集まって他愛もない話をして、盛り上がったり盛り下がったり。ときには熱くなって「表へ出ろ！」とケンカが始まることもあったり、ときには恋が芽生えたり。私は、そんな人間の悲喜交々をたっぷりと受け止めてくれる酒場が好きでたまらない。だから、あの場所をおしまいにしたくなかった。三代目として私が女将になろうと思ったのは、そんな気持ちからです。

ただ自分がやるなら、の夢もありました。昔と違って女性も働く時代。勤めに出ながら子育てしているママたちって多いでしょう。彼女たちがひとりでもふらりと立ち寄れる縄のれんにしたいと思った。私自身、四人の子どもがいるのでわかるんです。子育てに息抜きは必要だと。男性陣が酒場でストレス発散するように、女性だって外でお酒を呑みたいときもある。『はりや』に来てくれたら、同じ母親として、女性として、話し相手もできるかなあって」

「きちんと」が当たり前の昭和仕事

『はりや』の三代目女将、荘司美幸さんは、一九六八年、張谷家の長女として東京都墨田区鐘ヶ淵に生まれた。上に、ふたつ離れた兄がいる。鐘ヶ淵は、鐘淵紡績、のちのカネボウ（現在はトリニティ・インベストメントに吸収合併）を中心に工場地帯として発展した町。周辺には、工場で働く工員たちが労働後に立ち寄る一杯飲み屋が軒を連ねていた。そのひとつに、両親の営む『はりや』があった。荘司さんは小学生のときから店を手伝い、作業着のおじさんたちから小さなマドンナのように可愛がられていた。

しかし、父から店を閉めようと思うと聞かされるまで、自分が継ごうとはつゆほども考えてこなかったという。子どもの意志を尊重する両親は、客に「息子が継ぐのか、娘が継ぐのか」と聞かれても、「それぞれの人生があるからわからないよ」と答えるだけ。もし娘が女優になりたいといえば、本気でやりたいならやってみればいいと黙って見守るような親だった。

家業に縛られることはなかったが、飲食店という場所は好きだったという。短大時代、「ファミレスみたいなレストラン」でバイトしたときのことだ。

「楽しかったですね。飲食店の〝景色〟が好きだった。お客さまが来店して、注文を受けて、料理ができて、それを提供する。その一連の流れが気持ちいいんです。シェフとスタッフと、そしてお客さまの、連係プレーというか、滞りなくコトが進んでいって、お客さまも頼んだものが想像以上においしかったり、居心地がよかったりすると、じつに満足そうな表情になる。そんなふうに、すべてがうまくいっている景色のなかに自分がいるのが好きでした。

『はりや』でもそうでしたね。うちは飲み屋ですが、父も母も昔気質のきちんとしたひとでしたから、酒飲みを受け入れていても、店はいつも整然としていました。父は十時になると飲み始める。お客さんから飲みなよと勧められることもよくあったけど、必ず食器類は洗ってもとの位置に戻し、テーブルも厨房も拭き上げてから休んでいました。なあなあなところはひとつもなかった。母も、料理はすべて手作りで時間をかけて仕込んでいましたし、スーパーで買ってきたものは、ちゃんとバットに移してラップをかけておくとか、下ごしらえしたものを、すぐに提供できるように整えておくとか。そういう律儀さがありました。「きちんと」が当たり前の時代。父と母の仕事を見て育ったおかげで、私も同じようにしています。きちんとだしをとり、きちんと仕込みをし、きちんと整頓する。

ただ、きちんと過ぎるふたりはイレギュラーなことにはめっぽう弱い。私なんか、イレギュラーな人生でしかないから、親からすれば破天荒な娘だと思われているんじゃないかなあ、ふふふ」

鮮やかな萌黄のセーターにエプロン。少したれ目で瓜実顔の女将は、四児の母の顔もあれば、子育て支援団体のリーダーの顔もある。そして、忙しい母親のために惣菜と弁当を販売する『二階の食堂デリカフェ』オーナーの顔もある。いったいどんな〝イレギュラーな人生〟を送ってきたのだろうか。継ぐ意志のなかった家業をやろうと思うようになったのには、どんな心境の変化があったのだろうか。そう訊ねると、「時系列でいいですか？　五十二歳ですから長いですよ」と微笑み、続きの人生を語ってくれた。

困っているひとを放っておけない

「短大二年のとき、知り合いから頼まれた喪服屋のバイト、あれ面白かったな。手を前に組んで、「いらっしゃいませ、お急ぎですか？」というのが第一声。そうやって教わった。だいたいお急ぎなんですよね。今夜とか、明日とか。前もって買わないから必要になったときにあわてて駆け込む。みんな悲しい顔をして、「今日必要なんです」というから、こちらも神妙な顔で「かしこまりました。すぐに」と。十九かそこらの娘が「お急ぎですか？」って。おかしいでしょう。

就職活動はしませんでした。知り合いに声をかけてもらい、そのままフォーマルウエアの会社に入社。でも、やりたいことではなかったから、すぐに辞めてしまいました。そのあとは経理の仕事であちこちを転々と。経理なんてやったこともなかったけど、教えてやるからといわれて転職したのは、ホテルとか飲食店とかパチンコ店とか多角経営している会社。時代と、運もよかったんでしょうね。バブルが弾けてその会社も崩壊しちゃったんですが、そこの顧問税理士の先生に行き先がないならうちにおいでと拾ってもらった。その先生は私の人生のキーマン。それからもいろんな場面で助けてもらっています。

結婚は二十三歳のとき。アパレル会社時代に知り合った営業マンの男性です。仕事も覚えて楽しくなってきたころ、お義母さんが癌になってしまったんですね。夫には妹がふたりいたんですが、まだ学生だった。お世話できるのは私しかいない。せっかく戻れた仕事だったけど、辞めて看病生活に。でも、まだ五十代だったから進行も早くて、あっという間に亡くなってしまったんです。

二十七歳で長女が生まれ、翌年長男が生まれた。いったんは税理士事務所を辞めたけど、専業主婦はキツかったなぁ。家のことしかしていない日々に飽き飽きしちゃって、働かないとお金が足りなかったこともあってすぐに職場復帰しました。

三人めができたときも、四十で四人めができたときも、産んで一カ月後にはもう仕事していました。子どもたくさんいるのに勤めに出てすごいねと言われたけど、子どもが増えれば増えるほどお金がかかる。夫の稼ぎはあてにならない状況だったから、私が仕事を辞めるわけにはいかなかったんです」

長男が大学受験に入ると、荘司さんは平日の仕事に加えて土曜日も勤めに出た。家には夫がつくった借金があり、返済をしながら子どもたちの学費を稼がなければならなかったのだ。それだけではない。荘司さんは、義母が亡くなってから同居していた義理の父の三度の食事を約十年にわたりつくり続けた。後半の五年は、介護もともなっていたという。

目の前に困っているひとがいたら、放っておけない。それが荘司美幸というひとなのだ。夫とはほとんど会話をしなくなっていたが、年老いた義父を見放すことはできなかった。

「ファミリーとしてメンバーじゃないですか。そのひとが弱っていたら助けなくちゃと。私にできるのはごはんをつくることぐらい。子どもたちは唐揚げとか焼肉でも、お義父さんはやわらかいものじゃないと食べられなかったら、煮魚ひとつだけとかつくってた。手間だとか面倒だとは思わなかったですね。

私は子育ても介護も、ひとのお世話も、できる人間がやればいいと思っています。

隣り近所のひととか、友人とか。だけど、介護にしても子育てにしても女性の仕事という刷り込みがまだまだ強いですよね」

この、放っておけない性分が荘司さんを飲食の道へ導いた。三十二歳で第三子を産んだころから、まわりの母親たちが毎日の食事をつくるのがつらい、と漏らしているのが気になっていたという。何か力になれることがありやしないかと「食生活アドバイザー」の資格を取得。何がどう苦痛なのか、リアルな声を聴くために、任意団体「すみだkomachi」を友人らと協働で設立（のちにNPO法人「すみだすくすくネットワーク」）。定期的に母親のためのお茶会やバザーを開くうち、忙しくてまともなごはんを用意できない自分を責めているひとが少なくないことを知る。出来合いばかりで気が引ける、ファストフードを食べさせすぎているけど大丈夫だろうか、毎日何をつくればいいか考えるのもしんどい……。母親たちの苦悩を耳にするうちに、ふつふつとした想いが湧いてきた。「ママのためのごはんをつくってあげたい」。

自身も四人の育ち盛りを抱え、仕事を掛けもちし、義父の介護も始まっていたというのに、である。いったいどこにそんな余力があったのだろう。子のない人生を送る自分には、荘司さんの生きざまはスーパーウーマンそのものに見えた。しかし、話を聞くうちにそれだけではない気がしてきた。

彼女は、自分自身も迷路のなかにいて出口を探していたのかもしれない。そのころ、荘司さんは仕事でも家庭でもつまずきを感じていた。何か新しいことにチャレンジするなら四十代のうちに。いつのころからかそう考えていた荘司さんは、バイト時代に味わった、幸福な飲食店の景色をちらちらと思い出したという。飲食の道を模索するようになったのはそれからだ。つまり、ここまでの過程は、本当にやりたいことにたどりつくための曲折だったのではないか。このあと、すべての語りを聞き終えた私は、そう思えてならなかったのである。

女性のための縄のれん

「四度の出産で、勤め先も転々とせざるを得なかったんですが、キーマンの税理士先生がいつも親身になってくれて働き口はわりとすぐに見つかりました。ただ、四十代になって緻密な仕事がだんだんキツくなってきた。そのうち取り返しのつかない失敗をしてしまうんじゃないかと、つねに緊張している日々。解放されたかったけれど、いま辞めるわけにはいかない。お金のために必死でした。

私の苦労をよそに、夫は勝手でした。昔からお金にルーズなひとで、だましだましやり過ごしていたんですが、決定的なことが起きた。それでもう、張り詰めた糸がプツンと切れてしまった。私は土曜に副業もして、お義父さんのお世話もして、困っているママたちを助けたいと思っているのに、何？　と。もう我慢することはない、自分の人生を生きよう。飲食店をやろう、やらなきゃだめだって強く思ったんです」

最初の店は、飲み仲間から吾妻橋の革工房の二階を借り、二〇一五年五月にオープン。『二階の食堂』と名づけたその店は、近所の会社員や公務員で賑わった。しかし、子どもたちと過ごす時間がまったくとれない。長く続けていけるよう保育園そばの鐘ヶ淵に移転。さらに、二〇二〇年十二月からは曳舟で規模を拡張し、『二階の食堂デリカフェ』としてスタッフも増員して元気に営業中だ。一階がお総菜とお弁当の販売コーナーで、二階がイートインスペースとなっている。一階で購入したものを二階でも食べられるし、メインのおかずに小鉢、ごはん、お味噌汁がつく定食もある。コロナ禍でテイクアウト需要が急速に高まっていることもあり、食堂は忙しくなる一方だ。

「ようやく自分のやりたかったことがひとつ実現した」と満足げな荘司さんだが、気がかりなことがあった。両親が営む『はりや』のことである。

「今年いっぱいで店を閉めることにしたから」

父親からそう告げられたのは、二〇一六年の夏。食堂の運営が軌道にのり始めていたころだった。とうとうきたか、と思った。両親ともに七十代も後半に差し掛かっていて、東京都から区画整理の依頼があるのも知っていたからだ。ただ、娘としては、八十五年の歴史を刻んできた『はりや』の灯火を消してしまうことに、どうしても抵抗があった。

子どもたち。ようやく本当にやりたいことに踏み出せた食堂。両親のこれから。『はりや』ののれん……。いまの自分をとりまくすべてを棚卸ししてみる。当時、荘司さんは夫とは別居、子どもたちを連れて実家（旧『はりや』の二階）に住んでいた。店の奥にはその昔、アパートにしていた木造二階屋がある。その建物を改装すれば、両親と子どもたちといっしょに住める。いや、あの広さがあれば、お店にすることだってできるはず……。

「私が継ぎます、『はりや』を」

初めて口にすると、母親は「いいんじゃない」とひと言だけ。あっさりした返事に、荘司さんは懐かしさがこみあげた。「そうだった、母は娘の意志を摘み取るようなことは絶対にしなかった。私が何かやりたいと言うと、必ず『いいんじゃない』と認めてくれる。それが母というひとだった」

しかし、改築するだけの自己資金はない。友人の設計士に相談して算盤をはじいてみた。区画整理で売却する土地代の試算、奥のアパートを住居兼店舗にリノベーションした場合の改装費。……計算してみると、どうにかなりそうだった。父親の承諾も得ると、いったん幕を下ろした数週間後に、新生『はりや』に向けてのリノベーションが始まった。

木造の元アパートは、内部をスケルトンに。柱や梁を増強。店舗スペースは土間と壁と天井だけの状態で工務店に引き渡してもらい、仲間たちと漆喰を壁に塗るなど内装をひとつひとつ仕上げていった。自宅も兼ねていた旧店舗を解体したときに出た古材は、「使えるものはみんな活かしたい」と、可能な限り新店舗に移築した。

新生『はりや』のコンセプトは、「女性がひとりでもふらりと立ち寄れる縄のれん」。実際、荘司さんが女将になってから、昔はほとんど見かけなかったひとり飲み女性が増えた。気づけば九席のカウンターがみな女性。そんな夜もあるという。女性たちが安心してくぐる縄のれんは、両親の代から使われてきたものだ。古い常連客の多くはもうこの世にはいなくなってしまったけれど、世代をまたいで通ってくれる年輩者も若干いる。私にこの店を教えてくれた立石のおじさんもそのひとり。彼と、リニューアルした『はりや』を訪れたとき、入口に掲げられた縄のれんに「昔のままだ。懐かしい」と感動していた。かつて、おじさんのように工場で働く男たちが一杯やりにくぐった縄のれん。いまでは、おじさんも女性も、若者たちも、その渋いのれんを目指してやってくる。

木枠の引き戸が懐かしい玄関扉は、二階の自宅で使っていたものだ。『はりや』のシンボルでもあったカウンター板。いったいどれだけの飲み手たちを受け入れてきたのか。角が落ち、手沢(しゅたく)で黒光りする風合いは、そのまま継承され存在感を放っている。小上がりの上がり框も、欄間も、大工の知恵と技術によって見事に活かされた。名物の酎ハイづくりに欠かせないサーバーももちろんフル稼働。注がれるレトロなジョッキは、ほかで手に入れようとしてももう廃盤だろう。

「あそこ。天井に貼ってある板あるでしょう。あれ、自宅廊下の床板だったんです。子どものころ、冷房なんかなかったから、夏になるとあの廊下にふとんを敷いてみんなで寝ていました。この調味料入れは、もともとは祖父がマッチ箱を収納する木箱として手づくりしたもの。捨てられそうだったのを救済したんです。味があると思いませんか。おじいちゃんの思い出も詰まってて……もったいない」

夢はない。しいて言うなら……

『はりや』の原点は、祖父が始めた酒屋だった。店内の一角で酒を飲ませる「角打ち」もあって、酒だけキュッと飲みたい男たちに重宝されていた。しかし、保健所からのお達しなどで角打ち禁止に。ならば飲み屋にしてしまおうと、全面酒場になった。その後の歴史については、荘司さんが改装資金を集めるためクラウドファンディングに挑戦したときの文章がくわしい。

——祖父は早くに妻を亡くし、男手ひとつで五人の子どもを育てながら店を営んでいました。父は本八幡にある自分の姉のバーでバーテンとして働いていました。そのうち、はりやの早い時間帯は祖父が、深い時間は父、というスタイルになり、自然と父が店主になるように移行していきました。祖父は九十一歳で亡くなる直前まで店の掃除や酎ハイの仕込みをしていました。行き届かないながらも、一生懸命作業をする祖父を父も母も温かく見守る優しさを子ども心ながら感じていました。

父と母の代になり、その店はいったん幕を閉じなければならなくなりました。

祖父から父への代替わりを目の前で見ていた私は、この酒場の灯りをどうにか繋げないだろうか、居ても立ってもいられない気持ちになりました。と同時に、私の人生のミッションであるまちづくり、コミュニティづくりという新しい形の酒場としての場創り、その景色が浮かんできたのでした——

歴史ある大衆酒場の娘としての願い。四人の子どもをもつ母親としての、暮らしやすい地域づくりへの使命感。『はりや』三代目女将荘司美幸には、このふたつの強い想いが胸にある。

酒場をもっと開かれた場にしたい。呑兵衛たちのオアシスであることに変わりないが、リラックスできる居場所を求めているのは酒飲みだけではない。子をもつ母親や、働く女性たちだって、ときにはおいしいお酒とつまみで息抜きしたいのだ。話を聞いてくれる相手がほしいのだ。誰かにもてなしてもらいたいのだ。気兼ねなくそれができる場所。楽しくて、おいしくて、ホッとできる、誰にとっても「居場所」と思える空間――荘司さんは、そんな新しい酒場をつくりたくて両親の店を継いだ。

再オープンから四年めのいま、荘司さんの想いは確実にかたちになっているようだ。私が女友だちと訪れたある晩、カウンターでは若い男性がふたり、「赤ワインのボトルってありますか」と所望し、鶏ナンコツとれんこんの甘辛だれをつつきながら、お互いが推すアイドルの話題で盛り上がっていた。あとからやってきたのは、四、五十代と思しき女性ふたり組で、煮卵サラダと、先代から受け継いだレシピだといっていた名物、げそ天（細かく刻んだイカゲソをお好み焼き風にソースで仕上げたもの）を頼み、酎ハイで乾杯したあとは、何やら話し込んでいた。二十時をまわった時分。それぞれ、家族にごはんを食べさせ、家のことをひととおり終えてからここでおしゃべりしながらお酒を飲むのが楽しみのママ友同士だと、荘司さんが教えてくれる。

「息子の同級生の親同士で女子会を開いたりもしてくれるんですよ。私の女友だちも気軽にひとりで寄ってくれるし、何かを見て、ここならひとりでも平気そうだとわざわざ遠くから来てくれる女性も多い。思い描いていた新しい酒場ができつつあって嬉しいですね」

「どうも、どうも～」

またひとり客がやってきた。どこかで飲んできたのだろう。赤ら顔の上機嫌なおじさんだった。

「ジローさん、遅いじゃない。どうする？　うちは美女しかいないよ」

気づけば、あいているカウンター席は私たちの隣りだけだった。女将は、そこにするかテーブル席にするかと聞いたのだ。ジローさんと呼ばれたひとの良さそうなおじさんは、ニコニコしながら黙ってカウンターに座った。

「だよね～」。笑う女将に、ほかの客たちもみな爆笑する。これぞ酒場のグルーヴ。一体感。気持ちよくなって、私も酎ハイのおかわりを頼む。将来は庭師になりたいという大学生のバイトくんが、きめの細かい泡のたつジョッキを持ってきてくれた。いっしょに黄色い札が置かれる。三枚。飲み重ねるごとに札が置かれるシステムで、店側はこれで勘定を、客は自分がどれだけ飲んだかつねに意識できるので、暴飲セーブに役立つという、一石二鳥。酒場が編み出した知恵である。

「酒場はさ、世界平和に向けて発信しているんだよね」

　酒場のさんざめきに交わっていられる喜びをかみしめていると、満面の笑みを浮かべた女将がそう言い放った。酒場と世界平和がすぐに結びつかず、「？」が頭上に浮かんでいたのだろう。『夕焼け酒場』というBSのテレビ番組に出演したときのエピソードを話してくれた。

「あの番組、必ずキャストのきたろうさんが「女将さんにとっての夢はなんですか？」と聞くんです。私は、夢はないです。しいていえば世界平和ですかね、と答えた。笑われたけど、でもそれしかないんだもの。世界平和という頂点を見据えれば、自分がいま何をすべきかが見えてくるような気がするんです。世界情勢とか、原発だとか、それこそいまだったらコロナの問題とか。そんな大きなことは考えられないし、できることもないけれど、自分に与えられている、この『はりや』だったり食堂だったり、家族や友人も含めて、そこで何ができるだろうっていつも考えています。

　要は、自分だけの利益を求めない。自分だけが幸せになるとか、自分だけが儲かるとか、そういう発想は私にはない。世界平和はまあ言い過ぎですが（笑）、みんなが自分の住んでいる地域がよくなればいいと思って、何かひとつでも行動すれば、それぞれは小さくても、束になれば大きな流れになる。

酒場は、ひとのつながりができる場所。ここに来てくれたひとが、たとえばSNSで発信してくれて、それを見た別のひとがまた来てくれたら、新たなつながりが生まれる。その連続で、点は面になる。同じ価値観のひとたちがつながっていったら、世界平和に一歩、近づくんじゃないかって思うんですよね。だから、酒場は世界平和に向けて発信しているんです」

私はかつての『はりや』を、鐘ヶ淵のサードプレイスだったと書いた。その続きの物語を紡ぎ始めた三代目女将の『はりや』が担うのは、もっと大きなもののような気がする。

それは、たとえば「子ども食堂」が、子どもたちにとっても、子育てで孤立しがちな親にとっても、心の拠りどころとなり、生きる張り合いにつながっているように、同じカウンターを分け合うもの同士、同じ酒場を愛する者同士、言葉を交わしても交わさなくても仲間意識が生まれる。たとえそのとき落ち込んでいたとしても、ここにいる間は忘れられるだろう。場合によっては、不安や哀しみを拭い去ってくれるかもしれない。

それだけではない。荘司さんのように、困ったひとを助けたい、地域がよくなってほしいという想いのある人間がもし、このカウンターに隣り合わせたらどうだろう。酒が心を解きほぐし、やがて、よくなるためのアイデアを語り合ったり、悩みを聞いてあげたりする場面もあるのではないか。四人の子どもを育て、苦労の多い人生を送ってきた女将もそこにいる。抱えている問題はすぐに解決しないかもしれないが、誰かに話すことで心の荷が下りることは誰しもある。実際、ずっと誰にも話せずにいた苦悩を、荘司さんの前で吐き出し、押し殺していた感情が解放されたのか、男泣きした客もひとりやふたりではないという。

酒場『はりや』。東京の東のはずれの小さな飲み屋。ここにはひとを癒やし勇気づける酒があり、懐深き女将がいて、ときに世直しの拠点にもなる。

そう、下町酒場は、世界平和につながっているのだ。

酎ハイ
ウイスキーハイ
ジンハイ
400円
日本酒
500円
梅酒
グラスワイン
ウーロン茶
緑茶
煮卵サラダ
420
赤いウインナー
420円
和風ハンバーグ
400円
キャベツ炒め
420円
ほっけ焼
540円
さば塩
野菜のチヂミ
520円
にら玉
460円

働く女性の味方でありたい

大濱幸恵『おおはま』鎌倉

メニューの森に迷い込む

鎌倉。鶴岡八幡宮に参拝するひとびとがここで馬から下りたことから命名されたといわれる「下馬（げば）」。その交差点には、ビールを片手に、サングラスやビーチサンダルで海へ向かう行楽客たちであふれていた。バカンス気分の浮かれた空気のなかにひとり、電動自転車の前後にたくさんの食材を積んだショートヘアの女性が、引き締まった表情で海とは違う方向へ急いでいた。

大濱幸恵。都内から訪れる客も多く、地元でも人気。予約が取れないと評判の居酒屋『おおはま』の店主である。

十七時の開店に備え、午前のうちに店に入ると、ユニフォームにしている高知の酒蔵、西岡酒造オリジナルの「久礼（くれ）」Tシャツに着替え、頭髪がはみ出さないよう頭に手ぬぐいをきっちり巻く。きゅっ。後頭部で固結びにすると、すぐさま仕込みを開始した。やるべきことはすべて、自宅で書き出してある。段取りよく動かなければ、一五〇品近くあるメニューの仕込みを開店前に終わらせるのは不可能である。

「こんばんは」

最初の客がやってくると、つぎつぎと席が埋まり、開店と同時にカウンター一一席、テーブル四席の店は、あっという間に満席になった。すべての客が同じ時間から食事をする。それは、料理のオーダーが同時に集中することを意味する。

「刺身を地魚で盛り合わせにして」

「自家製焼売とアジフライ、あとでチャーハンも」

「なめろうとかき揚げね」……。

客の好みと、そのとき食べたいものは、一五人いたら一五通り。大濱さんはさまざまな客たちの要望に、ひとりで応える。料理人は彼女ひとりなのだ。

全席からのオーダーを受け取ると、伝票を一覧し、どの客が何を注文したか、同じオーダーはないかを確認し、仕事の段取りを素早く計算する。

まずはお通し。つぎに、客のほとんどが注文する「野菜小鉢」をお盆の上に手際よく盛りつけていく。

小鉢はつねに二十数種類ほど用意されていて、客はそのなかから食べたいものを好きなだけ選べる。単品でも頼めるが、ひと手間かけた野菜料理を外で食べられる店は稀少で、誰もがみな、どれにしようかと嬉しそうに悩む。その姿は、「さあ、うまいものを食べるぞ」という高揚感と期待に満ちていて、私は『おおはま』でメニューを開くひとびとの、その高まりを目にするのが好きだ。そして自分も喜んで品書きの森に迷い込む。

試しに、『おおはま』での舌の記憶をたどってみる。

酒場のつまみとして定番中の定番の「ポテトサラダ」。私は初めての店でポテサラを見つけると必ず注文する。好物なのはもちろん、アレンジ次第で個性が出るため、その店を知るのにかっこうの一品なのだ。

『おおはま』のポテサラはというと……、ざっくりと潰されたじゃがいもにきゅうりとにんじん。直球勝負か、と若干拍子抜けして口にすると、パチン。私のなかで何かが弾けた。じゃがいもがちゃんと主役として存在していて、ほっくり甘い。

いろいろな創作ポテサラを食べてきたが、『おおはま』には創作がない。ないというより、しないという表現のほうが正しいだろう。この料理の真髄は、じゃがいものおいしさを引き出すこと。料理人はそう考えた。どうやったらじゃがいもの持ち味である、あの素朴な甘みと、ほくほくとした食感を最大限に表現できるか。修業先の日本料理店がやっていた手法に学び、いもは皮つきのまま四十分蒸して、さらにフライパンでから焼きして水分を飛ばす技法をとることにした。

ゆでるのではなく、蒸すこと。それも、時間をかけてゆっくり火を入れていくこと。さらに水分を飛ばすこと。これらの調理技はすべて、大濱さんが素材の性質を理解しているからできることだ。

「小松菜と油揚げのおひたし」。こちらも、家庭の食卓にも並ぶおなじみの一品。でも、家庭料理とは全然次元の違うことが、ひと口食べたらわかる。青菜の鮮やかな緑。シャキッと鮮烈な食感。だしの風味が香る汁とお揚げの油分が染み込んだ野菜の滋味。何気ないようでいて、印象に残る。

人気メニューの「自家製蒸したて焼売」も忘れてはいけない。たまねぎたっぷりの豚ひき肉のタネを仕込んでおき、注文が入るたびに焼売の皮でたっぷりと包み、ふっくらジューシーに蒸し上げる。「しゅうまい食べる方、いますか〜?」。客から焼売の注文が入ると、ほかにも食べたいひとはいないかと大濱さんが声をかけるのは、もはやこの店では見慣れた光景。ひとりで訪れることの多い私はこのときとばかりに、手を挙げる。「いくつにします?」「ひとつ、いやふたつ!」「こっちは四つね」。好きな数だけ注文できるのも嬉しい。

一事が万事。『おおはま』の料理は和食の基本をしっかり押さえながら、居酒屋以上の上質と気軽さを兼ね備えている。

「自分でつくれそうだけど、つくれない。それが私の目指す料理」

大濱さんがそう明かすように、『おおはま』の料理はハレとケでいえば「ケ」。毎日食べても飽きない日々のおかずだ。だから、客たちは「自分でもできそう」という気になる。でも、実際レシピを教わって挑戦してみるとわかるのだが、ぜんぜん違う。店でいただくあの味にはほど遠い。何が違うのだろう。火加減なのか、ゆで具合なのか、味つけのタイミングなのか……。いや、それがプロの料理人と、素人の差ということなのだろう。

おすすめは全部です

「食べたいものがありすぎて困るなあ」

「全部、気になる〜」

客から感嘆の声が漏れるのはたびたび。そんなとき、彼女は「してやったり」と心のうちでほくそ笑む。

「店に入ってメニューを眺めたときに、食べてみたいと思わせる料理がいくつもあって、何を食べようかと悩みながら選ぶ。それこそ外食の醍醐味。だから、お客さまが迷ってくれるのは嬉しいですね」

品数が豊富で、盛りもよい。それが『おおはま』らしさであり、人気の理由のひとつなのだが、なかにはそれを歓迎しない客もいるようだ。あるとき、隣りに座った年輩の男性がメニューの多さに辟易し、「適当に何品かおすすめを」と頼んだ。それに対し、彼女はこう言った。

「申し訳ありませんが、初めて来られたお客さまの好みを私はわかりませんのでおすすめは難しいです」と。

その男性は、面倒くさそうに品書きを一瞥し、じゃあと刺身を頼んでいた。お客からすると不親切に感じたのかもしれない。が、ここに店の主としての矜持がある。

「うちは居酒屋でありたい。誰もがお酒を飲みながら料理を楽しめる場所が居酒屋。気軽に寄ってもらえるように、値段は安く設定しているつもり。小料理屋とも割烹とも、コース料理の店とも違う。だから、「おまかせで」と言われてもお断りしています。その方のことをまったく知らないのに勝手に出せないから。「おすすめは？」と聞かれたときには、「全部おすすめです」とお答えしています」

こんなこともあった。メニューの「塩辛」が目に止まり、私は失礼ながら「自家製ですか?」と聞いた。瓶詰めなどの出来合いのものを出す店も多いからだ。彼女は当然というように、「もちろん。うちは乾き物以外、すべて自家製ですよ」と答えた。あっ、と後悔したのはあとの祭り。燻製料理も、ごはんに添えるじゃこ山椒も、ぬか漬けも、店主の手づくりだと知っているのに……。しかも、その塩辛は自分が食べたなかでも一、二を争うくらいおいしかった。

大濱さんの言う「全部がおすすめ」は、まさにそのままの言葉なのだ。

父に捧げる千切りキャベツ

大濱さんの料理を十年、食べてきた私の舌の記憶はいくらでも引き出しがある。彼女自身にはどんな記憶が刻まれているのだろう。

一九七六年、愛媛で生まれた大濱さんは、小学校二年生のときに父親の転勤で千葉の流山に引っ越す。子どものころから食に興味があった彼女は、食文化の違うふたつの地域で食べたものの思い出がたくさんあるという。じゃあ、お母さんのごはんで好きだったものは? の質問に、

「なんでもおいしかったから、思い出そうとすると逆にへんなものが浮かんできちゃ

う」と苦笑しながら、母手製のツイストドーナッツはお気に入りだったと振り返る。小麦粉に卵と牛乳と砂糖、それにベーキングパウダーを加えて棒状にしてひねり、油で揚げた素朴なおやつ。

手作りはおやつだけでなく、食べるもの全般だったという。

「専業主婦だったからだろうけど、子どもにはちゃんとしたものを食べさせたいと思ってくれていたんじゃないかな」

数少ない外食で特に記憶に残っているのは、父親が近くのとんかつ屋に連れて行ってくれたときのこと。「千切りキャベツが山盛りで、父親がこんなキャベツを家でも食べられたらなあって。それで家で千切りキャベツをしたんだよね」。

小学生の女の子が父のために庖丁を握りキャベツを千切りする姿を想像する。きっとお店のように極細に切ろうと神経を集中させたに違いない。

料理でひとを喜ばせる。それが料理人の仕事だとしたら、大濱さんの原点はこの千切りにあったのかもしれない。

頭脳は理系である。遺伝子組み換えの是非が問われていた時代に高校生だった大濱さんは、東京農工大学に進学し、食品化学を専攻。いずれは企業の開発職に進むつもりだった。ところが、大学院で修士号を取得し、いよいよ研究の成果を社会で活かせるという年、日本は不景気から就職氷河期といわれる時代の底にあった。

唯一パスしたのは公務員試験で、大濱さんの社会人スタートは、東京都の衛生局となった。全国で頻発する食中毒にまつわる調整など、食品衛生にかかわる仕事を行っていた。しかし、六年で退職。将来を期待していた若手から突然の辞意。上層部は当然慰留した。しかし、辞めると決めたときにはすでに料理学校の授業料を振り込んだあとだった。

「食品衛生の仕事は、条例とか法律とにらめっこ。安全でおいしい食事を提供するための大事な裏方だったけど、私はやっぱりつくるほうが好き。自分でつくった料理を、食べてもらって生計を立てていきたい。二十代の最後に、初めて飲食の世界で生きていくことがリアルになりました」

三十歳でエコール辻東京に入学。一年間みっちり日本料理の理論から実践までを学ぶ。学校に通いながら、さまざまな飲食店でアルバイトもした。卒業後は三年と決め、独立を見据えて自分の勉強になりそうな店を選んで修業に入った。都内で評判だった早稲田の「日本料理 松下」で約二年、日本料理の正統を経験したのち、三店舗の創作割烹、人気居酒屋で、それぞれ半年ほど学んだ。これらの店で日本酒の知識を蓄え、繁盛店の調理場をひとりでこなす仕事術を訓練した。

二〇一〇年九月、阿佐ヶ谷にて『おおはま』を開く。店名に自分の名前をつけたのは、「女将さんと呼ばれたくなかったから」と笑う。和食は店主の名を冠した店が多いこともあって、迷わず『おおはま』に決めた。

店は、JR阿佐ヶ谷駅から徒歩十分ほどの住宅街。まわりに飲食店はほとんどなく、「阿佐ヶ谷の北限」と呼ばれるような場所だった。それでも、近所の住民がぽつり、ぽつりとやってくるように。時間はかかったが、そのうち「うまい酒とつまみが良心的な金額で楽しめる」との評判が広まり、人気店と呼ばれるようになった。

軒先には杉玉が吊され、稲穂が象られた看板には「旬菜と旨い酒」。鎌倉に移転したいまも変わらぬトレードマークだ。多彩な野菜小鉢、一枚から切ってくれる刺身、注文を受けてから包み始める焼売、半合でも注文できる豊富な種類の日本酒など、飲み手、食べ手を喜ばせる『おおはま』のスタイルは、すでに確立されていた。

「店を始める前に、勉強にといろんな居酒屋を回ったなかに、野菜の三種盛りを出している店があった。そこにヒントを得て、複数あるなかからお客さまが選べるようにしたら面白いんじゃないかって。外食すると野菜が食べられないのが不満だったので、野菜をたっぷり食べてもらえる料理をメインにしようと決めていました」

選ぶ楽しみは、野菜小鉢に限らない。刺身、揚げ物、肉料理、珍味、〆の食事、デザートまで、ないものを探すのが難しいぐらい。どんな客をも満足させるであろう食べたい、飲みたい料理が品書きにびっしりと並んでいるのだ。

全メニューを通して感じるのは、料理人大濱幸恵の「お好きなものを、お好きなだけ召し上がれ！」という懐の深さであり、気前のよさだ。気前とは、器から溢れんばかりの盛りのよさであり、リーズナブルなことであり、手間ひまを惜しまず自らを注いでいることである。

うちは居酒屋だから

阿佐ヶ谷の店は常連もつき、評判を聞きつけた日本酒好き、食べ歩き好きたちが各地から集まり、連日連夜賑わっていた。女性のひとり客も多かったという。

「もともと働いている女性が気軽に入れる店にしたかった。一日一生懸命働いて、頑張ったご褒美においしいお酒と料理でホッとひと息ついてもらって、明日の活力にする。そんな店でありたいと思っていたから、女性のお客さまがリラックスしている様子を見ると、嬉しかったですね」

阿佐ヶ谷の人気店として着実に土地に根を張り、熱烈なファンも多かったが、二〇一三年八月末、閉店。惜しまれて惜しまれての幕引きは、やむを得ない家庭の事情があったからだ。

東京で丸三年。足繁く通っていた客たちは、どんなにかさびしい思いをしただろう。「そりゃあショックだったよ。はまちゃんの料理でうまい酒を飲むのが人生の楽しみだったんだもの。おれの大事な場所がまたひとつなくなるのか……って。しばらく胸にぽっかり穴が開いたみたいだったな」とは、鎌倉で隣り合わせた阿佐ヶ谷時代からの男性客の言葉。一時間かけて通っているそうだが、彼のように東京方面からわざわざやってくる客はいまも少なくない。

阿佐ヶ谷の閉店から約一年後の二〇一四年七月、鎌倉で再スタートを切った『おおはま』は、あっという間に「いつも満席」「予約の取れない店」になった。

その後も人気は衰えるどころか、ますます過熱している。早い時間帯の年齢層は高め。二十時を回ると都内に勤務するご近所さんたちが帰ってきて、「いまからいいですか」とのぞき、二度目のピークがやってくる。

「鎌倉のお客さまは事前にご予約をお取りになる方が多いけれど、うちは居酒屋だから、本当はもっと気軽に寄ってほしいんです。働いているひとたちが仕事を終えて、ふらっと一杯飲みにくるような、そんなイメージ。だから、勤め人や若いひとが遅めの時間でものぞいてくれるのは嬉しいですね」

いくら鎌倉が人気の観光地とはいえ、一カ月先まで予約で埋まっているのは彼女の店ぐらいだろう。鎌倉で一、二を争う繁盛店になっても、店主は平常心。変わらぬスタンスで店に立つ。

「自分の店がこれだけ流行っているのはなぜだと思う?」

その問いに、大濱さんは即答した。

「鎌倉だからじゃない?」

『おおはま』のようなスタイルの店がほかにないから、というのが彼女の見解だ。

「鎌倉で和食の店がないわけじゃないけれど、コース料理だったり高級店だったりで、うちみたいに気軽に使える居酒屋って意外と少ない。あとしいて言えば、野菜がとれるからかな。鎌倉野菜のサラダとか焼いただけとかじゃなくて、ひと手間かけた野菜料理がいくつもあるのが喜ばれているんだと思う」

さらりと答えたが、私はこの言葉に、食の激戦区鎌倉で商売をする経営者としての鋭さを見た。「ほかにない」というのは、唯一無比のオンリーワンだということだし、「気軽な居酒屋」と表現する背景に、高級食材など使わなくても、野菜ひとつをどう料理するか、その技術と工夫で客を満足させることができるという自負を感じたのだ。

公平のひと

「はまちゃん、キレッキレだね」

しばらくぶりに『おおはま』を訪れた友人が、キビキビと働く料理人を見て言った。

大濱さんの仕事には無駄がない。客に余計な愛想をふりまくくらいなら、旨い料理をつくることに集中したい。そんな声が聞こえてきそうなくらい、注文が立て込んでいるときの彼女は常連も声をかけるのが憚られるほど真剣勝負だ。新しい客がやってきても、にこりともせず、「こちらどうぞ」と席を示すのみ。なんて無愛想な、と誤解するひともいるようだが、そこには居酒屋の主としてのひとつのルールがある。

「阿佐ヶ谷時代は、お客さまがお帰りになるとき必ず戸口まで出てお送りするようにしていました。でも、いまは店の構造上、それがむずかしい。だから、逆に一切やめました。海外赴任でものすごく久しぶりに来てくれたなじみのお客さんなど、例外的にお見送りすることはありますが、その方にそうしたなら、その日のお客さま全員に対して同じようにします。常連だから、親しいからと特別扱いするようなことはしません。どんなお客さまにも公平に接する。決めていることのひとつです」

学生時代の旧友が初めて来てくれても、「久しぶり」と普段と変わらないテンションで挨拶するだけ。どんなに嬉しくても、「元気だった?」と聞きたくても、だ。「なんだよ、せっかく来たんだからもうちょっと喜んでくれてもいいのに」「冷たいなあ」と苦笑いされるが、「ほかのお客さまがいるのに内輪で盛り上がるような姿は見せたくない」というのが彼女のけじめなのである。

公平であるために、事前予約はどんな上客であっても一カ月以上先は取らない。「こんなに通っているのに」と恨めしそうに言う客もあるそうだが、「一度でも例外をつくってしまったらなし崩しになってしまう」と、常連の要望に応えてあげたい気持ちをグッとこらえてお断りするのだという。

大濱さんがそこまで厳しく公平であろうとするのには、修業時代の苦い経験があるからだ。

だし巻き卵が人気の居酒屋で、新人大濱はだし巻きの練習中だった。そのうち、上手になるには数をこなすのがいちばんと、「練習中でうまく巻けないこともありますが」と断り書きを入れて、「ゆきちゃんのたまごやき」というメニューを用意してくれた。板前修業中の若手を応援する気持ちもあったのだろう。彼女のだし巻きはよく注文が入った。そのたびに緊張しながらだし巻きをつくる。何度目かで、いままでいちばんきれいに巻けた！　というときがあり、嬉しさのあまり「今日イチです！」とお客さまに出したところ、閉店後、女将さんに叱られた。

「その前に召し上がったお客さまもいるのだから、どんな状態であってもすべて上出来ですという姿勢でお出ししないと、ほかのお客さまに失礼でしょう」と。

店は客に対して平等、公平でなければならないという原則は、このとき学んだ。

ひたむきだから、迷う

酒を飲みながら、カウンター越しにつぎつぎと料理を仕上げていく大濱さんを見ていると、マイルス・デイヴィスの『フォア・アンド・モア』というアルバムを思い出す。六〇年代初頭に録音されたライブ盤で、十八歳のドラマー、トニー・ウイリアムズと、二十六歳のピアニスト、ハービー・ハンコックという若きサイドメンを従えたマイルスは、疾走感あふれるスリリングなセッションを繰り広げている。我が行く道に敵なし、とリズムを刻み続けるジャズの帝王と、目指す場所がクリアで、そこに向かって迷いなく前進しているように見える大濱さんとが重なるのだ。

だからある晩、「自分が本当にやりたかったことを見失いそうになる」と、彼女の口から弱気な言葉が漏れたとき、え？　聞き返してしまった。

「店をやる前は、ひとりのお客さまがふらっと寄ってくれて、その方とお話ししながらお酒や料理をゆっくり楽しんでもらう場にしたかった。お客さまに元気になって帰ってもらうのが目標で始めたのに、いまはお客さまの顔も満足に見られず、名前も覚えられないくらい忙殺されて、日々を駆け抜けているだけな気がする。それってどうなんだろうって……」

頭の中で鳴り響いていたマイルスのトランペットはいつの間にか消えていた。

「席数を減らして、ペースを落としてやっていったほうがいいのではと思う反面、そうするとただでさえ取りにくい予約がさらに難しくなってしまうかも。来たくても来られない方を増やすのは本意ではないし、みながみな、私とおしゃべりしたいわけでもない。お客さまの望みと私の望みは必ずしも同じじゃないから。どうすることがベストなのか、ジレンマを感じています」

迷い、悩み、葛藤するのは、彼女がそれだけひたむきに仕事に打ち込んでいるからであり、もっとよい店にしたい、もっと向上したいとつねに上を目指しているからだ。マイルス・デイヴィスは長きジャズ人生において、じつに変幻自在に自分のスタイルを変化させていった。その転換点では、どんな天才であっても自分が納得する世界を確立するまで苦悩も経験したはずだ。

「目の前にお客さまがいるかぎり頑張るんですけどね！」

心の揺れを一瞬見せた彼女は、すぐにキリリとした表情に戻って笑った。

『おおはま』のなじみ客には、ひとり飲みが好きな女性も少なくない。あるとき、ラストオーダーを取り終えたころ、そのうちのひとりが勤め先の東京から店に電話をかけてきた。「遅くなるけど、これから寄ってもいい？」と。元気のない彼女の声を聞き、大濱さんはいつものトーンで言った。

「いいよ。まだ片づけもたっぷりあるから。気をつけて」

残業続きで、彼女が疲れ果てて鎌倉に戻ってくるのを大濱さんは知っている。自宅に帰っても眠るだけ。そんな客のために、つかの間でも、ぬくもりの感じられる食事とお酒が癒やしになれば。それが女主人のさりげない心遣いだ。

「こんばんは……」

「おつかれさま、おかえり！」

疲労困憊の様子で入ってきた彼女を、まだ残っていた『おおはま』の仲間たちが笑顔で迎えた。野菜小鉢をとって、大好きな日本酒を飲んで、語らって。仕事がひと段落した大濱さんも最後の客たちといっしょに飲む。このときばかりは、彼女もくつろいだ表情だ。コロコロと笑い、そのうち東京から戻ってきた女性客も元気を取り戻す。

「はまちゃん、もう一杯いい？」

「しょうがないなぁ」

言葉と裏腹に、大濱さんの瞳はやさしい。

「寄ってよかった。また明日から頑張れそう」

帰り際、女性は笑顔でそう言って鎌倉の夜道を歩いていった。

最後の客を送り出し、大濱さんは心地よい充実感のまま気持ちを入れ直す。

「明日も、お客さまの元気をつくるために頑張ろう」と。

切れ味のいい庖丁のような鋭さ。真剣だからこその迷い。

相反する面を持ち合わせた大濱幸恵が、この先、どんな音を奏でるのか。私はこれからもずっと耳を傾けていく。

＊　　＊

激動の一年を経験して

あれから二年が過ぎた。

「せっかくご予約いただいていたのに申し訳ありません。はい、そうなんです。お酒の提供ができないので、措置の期間中は店を休むことにしました。とりあえず五月三十一日まで……、いえ、ごめんなさい、振り替えの予約も今後状況がどうなるか見通しが立たないので、目処が立ったらこちらからご連絡します。そうですね、ありがとうございます。また、楽しく乾杯できるようになったら飲みにいらしてくださいね！」

プルル……プルルル……

「あ、○○さん、折り返しのお電話ありがとうございます。ご予約の件なのですが、そうなんです……」

二〇二一年五月九日。ＧＷ明けの最初の日曜日。マスクをした観光客で賑わう鎌倉の昼下がり、定休日の『おおはま』を訪れると、女将の大濱さんが店のカウンターで予約表を広げて、電話をしているところだった。
「はい、またよろしくお願い致します」
電話を切ると、ずらり並んだ名簿の一列に上から線を引いた。

二〇二〇年末から日本を襲った、新型コロナの第三波。変異ウイルスの猛威が首都圏のみならず、地方へも飛び火するなか、政府は大型連休を前に三度目の緊急事態宣言を発令。対象は、東京、大阪、京都、兵庫の四都府県で、期間は四月二十五日から五月十一日だったが、三十一日まで延長されることが七日に決まったばかりだった。感染の拡大が収まらないことに加え、重症患者も増加の一途をたどり、医療現場は最も深刻なレベル4にまでひっ迫。「医療崩壊」の危機が、すぐそこまで迫っていた。

神奈川県は緊急事態宣言を免れたものの、新規感染者の高止まりが続いていることから、地域や業種を絞って対策を講じる「まん延防止等重点措置」の対象地域として鎌倉市を加えた。この期間も、緊急事態宣言の延長にともない五月三十一日までに延びた。重点措置の対象地域の飲食店は、二十時までの時短営業に加え、「終日の酒類提供の禁止」が要請される。大濱さんは悩んだ末に、同措置が解除されるまでの期間、思い切って休業することに決めた。ひっきりなしの電話に対応しているのは、五月三十一日までに予約いただいていた八〇人近くのお客、ひとりひとりにお詫びの電話をしていたからだ。

このコロナ禍は、飲食店に未曾有の危機をもたらした。本書の取材に応じてくれた女将たちもみな、その影響をもろに受けてきた飲食人たちである。三度にわたる緊急事態宣言、営業時短要請、酒類提供の制限、繰り返される「不要不急の外出自粛」の要請、感染経路不明の多くは飲食店に違いないとする根拠なき仮説……。

最善とは言い難い国の対策や、移ろう世情に翻弄されながらも、彼女たちは感染拡大を食い止めるため要請にしたがいながら、店を維持するための努力と工夫を必死で続けてきた。この一年は、女将たち含めてすべての飲食人にとって激動の年であったに違いない。

そのなかでも特に『おおはま』は変化の激しい一年を送っていた。

まず、席数を大幅に削った。テーブル席を取り払いカウンターのみに。一五席から八席に絞った。テーブル席を廃止することはコロナ以前から考えていた。それは「ひとりひとりのお客さまときちんと向き合いたい」という希望を実現する、というより、阿佐ヶ谷時代から一貫して築き上げてきたスタイルに立ち返るための対応だった。同時に、信頼するスタッフが店を卒業するタイミングで、ひとり体制に。

「ひとりでやっていれば、必然的にすべてのお客さまと接することができる。もともとそれがやりたくて始めた店だから。原点に戻った感じ」

一年前、自分を見失いそうだと悶々としていた彼女はもういなかった。自分で考え、決断した再出発に、本人は一点の曇りなく納得しているようだった。

ただ、その再出発にあたって設けていた一週間の準備期間中に、一回目の緊急事態宣言が発令されそうだとニュースで知る。三月末までいつもと変わらず営業を続けていたが、日に日にウイルスの恐怖が広がっていくなか、このまま営業を続けるわけにはいかないと、四月七日に宣言が出される数日前に先手を打った。当面の間、店内営業は行わないことに決めたのだ。その瞬間から、ほぼ一カ月先まで埋まっていた予約客に、キャンセルの電話をかけまくった。

再開は六月九日。休業中の二カ月間、『おおはま』のSNSは、テイクアウトのお総菜写真で日々埋め尽くされていった。

「アスリートじゃないけど、そんな長い間、料理しなかったら手が動かなくなるからね。もちろん、補償とかまだ何もなかったときだったから、お金のためにもやらないとならなかったんですけど」

当時、誰もがステイホームを求められ、在宅勤務が広がっていた時期。自炊生活のストレスを多くのひとが感じていた。そこに、予約がなかなか取れない店のテイクアウトだ。『おおはま』ファンがわんさか押し寄せ、店の前に行列ができてしまった。店内飲食の「密」を避けるためにとった対策なのに、これでは感染リスクを減らせない……。予想以上の反響に、嬉しい反面、危惧を覚えた大濱さんは、提供する側も受け取る側も安心してやりとりできる方法はないかと思案する。

テイクアウトの販売は隔日にして、販売日の前日を仕込みにあて、焼売など温かく提供したいものを当日に用意。パック詰めが終わったところでその日の品書きをSNSでアップ。三五〇〜四五〇円と破格の惣菜は多いときで四〇種近くにもなった。仕事上がりに、その日の晩酌にしてもらえたらというイメージで、十七時ごろから二十時ごろまでの販売とした。

戸口近くに冷蔵庫を移動することで受け渡しもスムーズにできるようになり、用意した惣菜は毎回完売。帰宅が遅くていつも手に入れられないというひとたちのために、詰め合わせの予約を受けたら、想定数を大きく超える一六〇件もの問い合わせがあったという。大濱さんは断ることなく、二日間にわけてそのすべての注文に応えた。

大人気の『おおはま』テイクアウトだったが、酒の提供ができない惣菜販売は、通常営業の売上げの半分にも満たなかった。テイクアウトは、より厳密な衛生管理などのノウハウが必要で、ひとり体制の小さな居酒屋店主がゼロから始めるのはかなりの負担だったに違いない。

「だからテイクアウトをやらないという選択をとるお店もありますよね。いまは一日あたりの協力金も出ますし。でも、私はお客さまとのつながりを大切にしたい。マスク越しの短時間ではあったけれど、常連さんや初めましてのお客さま、久しぶりの方など、たくさん接することができたのは嬉しかったな。再開を楽しみにしているとか、『おおはま』の料理で元気になれるとか、励みになる言葉をいっぱいもらいました。地域のお役に立てたらと続けてきたことですが、自分自身がお客さまに救われていた部分もあったんですね」

心に灯りがともる場所

しかし、テイクアウトの限界も感じている。いつも惣菜を買ってくれていた常連があるとき、こう言った。「はまちゃんのシューマイ、うまかった〜。だけど、やっぱり店で食べるのと、なんか違うんだよなぁ。ここで食べてここで飲むから最高なんだよ」

その言葉は嬉しくもあり、テイクアウトだけで勝負する厳しさを痛感したという。

「やっぱりうちは居酒屋なんだよね。一日めいっぱい働いたあとに、このカウンターに座って、おつかれさま〜！　と乾杯して、同じように労働後の一杯を楽しみに集まったひとたちとワイワイやる一体感。それが居酒屋の醍醐味だし、そういう雰囲気のなかで飲むから、お酒も料理もおいしく感じるんだと思う。その世界観を、自分は大切にしたい。だから、これから先どんな状況になっても、店の灯りは消したくないよね」

　コロナ禍は、飲食店を不要不急のものとして扱った。たしかに、いますぐ絶対に必要なものかと問われれば、そうではないと答えるしかない。でも、お酒を提供してくれる場所を、心の拠りどころとしているひとは少なくないのではないだろうか。そこに自分の居場所を見出しているひとだっているだろう。少なくとも、私はそうだ。

　嬉しいことがあったとき、心につまずきを抱えているとき、疲れているとき、人肌恋しいとき……。私は、おいしい酒と心あたたまる料理、そして店主と客たちの笑顔に救われてきた。自分にとって『おおはま』はそういう存在であり、疲労困憊して帰ってきた東京勤務の女性が、ここで元気を取り戻せたように、全国の酒場で、毎晩、たくさんのひとが心に灯りをともしてきたのだ。

　酒場は守るべき文化である。その店に自分の人生を捧げている女将たちを私は心から尊敬する。支えていきたいとも思う。

大濱さんは、予約客にキャンセルの電話をかけながら言っていた。

「居酒屋の文化はこれからもなくならないとは思う。だけど、いままでの形態で続けられるかどうかはわからない。家飲みで十分というひとたちも増えるだろうし。長期的な視点で店の経営を考えたときに、メニュー数を絞ったり、営業時間帯を前倒しにしたり……。まだ決められないけれど、スタイルを変える必要が出てくるかもしれません」

ＳＮＳを通じて、テイクアウトやレシピ公開、日本酒を応援するチャリティーなど、彼女の奮闘を見守ってきた私は、ひと言、労いの言葉をかけたくて、この日、一年ぶりに鎌倉に会いに行った。

マスクに覆われ、目元しか見えなかったけれど、少し憔悴しているように感じた。店に向かう姿勢は変わらず真剣であり、行動も判断も極めて鋭敏正確。でもその疲弊ぶりから、コロナ禍の苦境がいかに深刻であるかが窺われた。『おおはま』は東京でも名が通る人気店だが、だからといって不安がないわけではないのだ。「人気」など吹けば飛ぶような脆いもの。彼女はそれを肌身で痛感しているのだろう。コロナ後の世界を、楽観できずにいるようだった。

「飲食店のあり方が変わるのではないか」と彼女が言うように、外食に対するひとびとの意識はコロナ以前とは違ったものになるのかもしれない。居酒屋、酒場は、日常の延長にある、気軽な存在であり、これからもそういう庶民の味方であってほしい。でも、ずっと変わらずにあるイメージが私にはもてないでいた。そんな漠然とした不安を話すと、大濱さんはうんうんと頷いたうえで、「ただ、」と、断って、頼もしい表明を聞かせてくれた。

「絶対に変えたくないことがひとつあります。コース料理での提供はしないということです。もう一五〇品とかは用意できないかもしれないけど、選ぶ楽しさは残しておきたい。メニューを眺め、今日は何をアテに飲もうかと自分で考えて選ぶ。それがあるのとないのとでは、食べる喜びも、食べ終わったあとの印象もぜんぜん違ってくると思うんですよね」

メニューの森に迷い込み、さあ今夜は何を食べようかとじっくり考える。これまでだったら当たり前にしてきた、そんなささやかな楽しみが、これからは少し贅沢なものになるのかもしれない。

それでも私は、喜んでその贅沢を味わいにゆく。大濱幸恵の奏でる、新たな音を楽しむために。

あかねさす天へ向かって

姫田あかね『よしろう』鎌倉

本と酒場は似ている

『谷は眠っていた』（理論社）という本がある。倉本聰が北海道富良野に、演出家・役者を養成する「富良野塾」を立ち上げたときの記録だ。高校生のときに読んで以来、ずっとそばに置いてきた。私を編集者に導いてくれた大切な一冊であり、人間のやさしさも、弱さも、狡さも、まるごと全部、この本から学んだ。

それから三十年。本に支えられてきた。たくさん読んだわけではないから読書家とはいえない。十代からいまに至るまで、心を動かされたいくつかの本を、何かあるたびに本棚から抜き出して読み返してきた。そうやって人生の伴侶となった本たちは、読むたびに違う表情で読み手を励まし、勇気づけ、慰めてくれた。

先日、一年ぶりに訪れた鎌倉『よしろう』でひとり飲んでいたら、ふと、好きな酒場は、かけがえのない友となった本のような存在なのかもしれないという思いが湧いてきた——。

早々に桜が散り、ツツジがにぎやかに咲き競う四月はじめの週末。小町通りは予想以上の人出だった。あちこちに行列ができている。かつてこのまちの住民だった私にとって見慣れた光景ではあったが、当時と違うことがひとつあった。歩くひとみなマスクをしている。あれから一年以上たっているというのに、私はマスクの群衆にどうしても慣れることができないでいた。

その喧噪も、メイン通りから一本脇に入ってしまえば別世界だ。石畳の狭い小路には小さな居酒屋やバー、スナックが肩を寄せるように並んでいて、『よしろう』もその一角にある。両脇を元気に繁る植木が緑を添え、銘の入った白提灯に藍染めののれんがいかにも粋だ。いつ訪れても、凜としたたたずまいに姿勢を正したくなるのは、入れ替りの激しい鎌倉の地で二十五年以上、女将として店を守ってきた姫田あかねさんの人柄が表れているからだろう。

十七時三十分。今宵は、口開けからゆこうと決めていた。人気の店だから、あっという間にいっぱいになってしまう。その前に、と準備万端、待ちかまえて引き戸をあけたつもりだった。が、なんと。カウンターにずらり。すでにみな、腰を据えて飲んでいるではないか。

「あ、山田さん」

こちらもマスクをしているのに女将はすぐに私だと気づいた。珍しく慌てている様子だ。藤鼠(ふじねず)というのだろうか、シックな青紫色の紬に、たすきは鶯(うぐいす)色をさらに沈ませた色味の配色。渋い色合わせの和服がいつもながら格好いい。

「うーん、ここをこうして、こっちをこうして……、いややっぱり無理だわ。ごめんなさいね」

どうにかやりくりして一席つくれないかと、狭い店内を見渡して考えていたが、あきらめてそう言った。

いえいえ、また来ます。告げて、ふたたびひとで溢れる通りに出た。よそで一杯やってから戻り、格子戸の外からのぞくと、ようやく落ち着きを取り戻した女将が、なかからいらっしゃいと手招きしてくれる。「もう大丈夫よ」。向けられたまなざしがやさしい。入口側の端に腰をおろすと、もうひとり外の男性を招き入れた。「さっきはごめんなさいね」。黒シャツの彼も、先客が引けるのを待っていたのだろう。ホッとした様子で隣りに座った。私と同じくらいの年回りだろうか。

湯をかけてきゅっと絞った白いおしぼりを手渡し、「お酒にする?」と女将。我々が二軒目だということをふまえて、そう聞いたのだろう。私はうなずき、男性は「立山をお燗で」と所望した。

「お酒」といえば日本酒である。『よしろう』の酒は、下戸の女将のかわりに常連が「これを置いておけば文句なし」と選り抜いた立山、大七、菊正宗の三つ。立山はきりり、大七はふくよか、菊正宗はさっぱり。どんな客にも対応できるバリエーションで、飲み飽きせず、食に寄り添う。つまり、なんの不足もないということだ。

銘柄を指定しなかったものの、女将は迷わず菊正宗を取り出し、白徳利に注ぐと、酒燗器につけた。私が菊正派であることを覚えていてくれたのですね。

お通しは、大根の皮の醤油麴漬け。パリパリの食感が滋味だ。ほかに大根の葉を炒めたものや、昆布の佃煮など、食材を余すところなく使い切る「始末の料理」がお通しになることが多い。なかにはこんなものでお金を取るなんて、と眉根を寄せるひともいるかもしれない。でも私はそうは思わない。姫田さんは以前言っていた。「みんな生きているものをいただくのだから、きれいにいただきたい」と。「きれいに」というのは、食べものを無駄にしない、最後までおいしくいただきましょうという知恵である。私はそういう姿勢に共感するし、「いただきます」の感謝が自然と湧いてきて、たいへん気持ちがよい。

そして、ここに集う面々の飲み方もまた清々しい。たいていはひとりかふたりで訪れ、自分の肩幅を守りながら飲んでいる。隣り合わせた相手に話しかけることも、話しかけられることもあるけれど、お互いの肩幅に侵入しない節度がある。新しい客が入れないとなると、「勘定して」と席を譲るひと、帰りしな、コップや皿をカウンターに上げていくひと、注文時に添えられる「お手すきでいいので」……。誰もが『よしろう』を愛し、守り、大切にしている気持ちが伝わってくる。みんな、女将に酒を注いでもらいたくてのれんをくぐるのだ。それこそ好きな酒場に通う僥倖というものである。

隣りの男性も、女将を慕って通うひとりだった。「手が空いたらおかわりを」と頼んだ立山の燗酒。この日、奥には娘の誕生日に訪れた父娘と、女将相手に歌舞伎役者の話題で盛り上がっていた中年夫婦がほかにいて、姫田さんは十代の娘さんに「おでんは何がいい？」「おむすび、握る？」と気遣い、メニューにないものを食べたいとねだる夫婦にも快く応じながら、私たちへの心配りも怠らなかった。「ちょっと早いかしら」。お銚子の底を指の腹で確認しながら、隣りに差し出したとき、彼は一瞬「もういいんですか」という顔をした。まだ温まっていないかもと、私も思った。でも、彼はにこやかに受け取り、自分の猪口に注ぐと、ついーっとおいしそうに飲んだ。

「お酒は上燗が好きですか？　ぬる燗？」

なんとなくそんな質問を投げかけてみた。すると、隣りまちから通っているというその男性は、おだやかな微笑みのままこう言った。

「僕はあかねさんがつけてくれるお酒なら、究極、なんでもいいんです」

酒の味など関係ないと言っているのではない。私同様、『よしろう』に心の安息を得ているのだろう。人生の伴侶となる本がそう多くないように、自分の居場所と思える酒場も限られている。だからこそ、その貴重な出会いを大切にしたいと思うのだ。彼の言う「なんでもいい」は、女将に惚れ、この酒場を人生の伴侶としようというひとりの男の、素直な、そして最上の愛情表現であろう。

男名前にしたかった

姫田さんは戦後、フランス映画の字幕翻訳家として活躍した秘田余四郎（本名・姫田嘉男）の娘として鎌倉に生まれた。『勝手にしやがれ』『太陽がいっぱい』『禁じられた遊び』など、数々の名作を手がけたひとだ。

客の多い家だった。人寄せが好きな母親と、一週間に何本もの映画を翻訳していた父親のまわりには文学仲間や映画関係者、編集者などたくさんのひとが集まっていたからだ。客が来ると、母親は手料理で客人をもてなした。正月など多いときは三〇人ぐらいが出入りしていたという。

十五歳で父親が他界。東京に移り住み、高校生になると銀座で割烹料理屋を営んでいた叔母の店を手伝うように。着つけはそこで覚えた。持ち場はカウンターの内側。板前が調理しているすぐそばで、お燗番を任されていた。板前の庖丁さばき、焼き物、煮炊きの塩梅、盛りつけの妙……。プロの仕事を見ているうちに、「習ったわけでなく自然とできるように」なったという。

子どものころから踊りが好きだった。モダンダンスや日本舞踊を習っていた姫田さんは、「大学に行かなくていいから、そのお金で日舞の師範を取らせてほしい」と母親に頼み込み、名取に。日舞を仕事にしようと、師範として教える立場にまでなったが、結婚、出産が重なり、三十三歳で断念。

バブル景気を追い風に多忙を極めていた夫と、ひとり息子と横浜で暮らしていたが、やがて歯車が狂い出す。夫の事業に亀裂が生じ、修復できぬまま、四十歳を過ぎて、シングルに戻った。息子はまだ高校生。音楽家になる夢を追い、音大への進学を希望していた。「私がなんとかしなくては」。生活を支える手段としてすぐに浮かんだのが料理屋だった。

やるなら慣れ親しんだ鎌倉で。いい物件が出たら、と声をかけていた店のママから、小町通りと若宮通りの間の路地に居抜きの物件を紹介された。八十三歳のおばあさんが戦後から四十年続けていた小料理屋で、すでに買い手がついていたようなものだったが、希望の額より半分以下に値切られ、どうしてもその人物には貸したくないとの話だった。「一万円でも多ければあなたに貸すわよ」。そう言われ、それじゃああんまりだからとかなり上乗せして、その物件の営業権を取得。調理に必要な設備はほとんどそろっていたから、「ぜんぜん不安はなかった」という。

資金繰りについても見込みがあった。バブルの浮き沈みをうまくくぐり抜けられなかった夫の痛恨を肌身で感じていた。無理な投資は避けたい。ここは鎌倉の一等地でありながら、家賃が比較的安かった。「一日、いくらの売上げがあれば成り立つか算盤をはじいてみて、これくらいならなんとかなりそうだと思ったんです」。

着物で店に立とうというのも、いかにも和風の造りの店内を初めて見たときから決めていた。「叔母の店も割烹だったし、母が遺した着物もけっこうあったので、これはもう着物しかないわねと」。

こうして一九九五年冬、鎌倉小町に真新しい『よしろう』ののれんが掲げられた。いまほどこのまちの夜が賑やかではなかった二十六年前、石畳の路地にぽっかり浮かぶ提灯の灯りは、さぞかし地元の酒徒たちを喜ばせたに違いない。女将は当時四十三歳である。

あかねさん、美人だから男のひとたちいっぱい来ちゃったんじゃないですか？　想像してそんな言葉がつい出てしまったら、女将が真顔で言った。

「だから、よしろうって名前にしたのよ。女がやっている店だと思われたくなかった。男名前がよかったの」

しかし、いくら父上の名前を冠し、無骨な気配を漂わせようとしても、『よしろう』の噂はすぐに鎌倉の旦那衆に知れ渡った。

たこの成仏

開店時間は、いまも変わらぬ十七時三十分。のれんが掛かるのを待ちかまえて、男たちがぞろぞろやってくる。開けたら、おじさんでびっちり。そんな毎日が半年ほど続いた。

頼まれるのは、瓶ビール一本に酒一本。それに冷奴。

「もう判で押したようにおんなじ。伝票つけなくてすんだから楽だったんですけどね。笑っちゃうでしょ。最初はほんと、同じことばっかり聞かれました。どうして店を始めたのか、歳はいくつか、名前は、どっから来たのか。もう履歴書でも書いて置いておこうかと思ったくらい」

姫田さんによると、当時の界隈はスナックがたくさん並んでいた。妙齢のママさん目当ての客がそれぞれの店についていて、夜の小町は華やかだったそうだ。『よしろう』の両隣は、いまはなき伝説の居酒屋「長兵衛」と、老舗割烹「ひさ本」（こちらは現役）があり、粋をたしなむ紳士たちが贔屓にしていた。日本舞踊やモダンダンスで習得した美しい身のこなし、凜とした客あしらい。スナック通いに慣れた旦那衆にとっては、さぞかし新鮮だったろう。

「でもね、男のひとは八時になるとママさんのところへ行っちゃって回転しなかったのよね。そのうち女性のお客さまがごはんを食べに来てくれるようになった。都内に勤めに出ているんだけど、帰ってきたら寄ってもいいかと。それまで料理を準備していても冷奴ぐらいしか食べてもらえなかったから、嬉しくて。どうぞいらっしゃいと。私と同世代の四十代か、少し上の働く女性たち。彼女たちのために、白和えつくっておいてあげようとか。煮物、用意しておこうとか。おむすびやお味噌汁も食べたいかなと。それから少しずつメニューが増えていったの」

『よしろう』の料理は、経木一枚に毛筆。気張らぬ季節料理が日替わりで並ぶ。目の前が海の鎌倉だ。刺身、焼き物、煮物、和え物まで魚介が多く、「卯月十日」と記された先日は、マグロ赤身、さわら粕漬、イワシ黒酢煮、穴子塩焼き、自家製塩辛、柳かれい、ナマコ酢があった。人気の定番は、溢れんばかりのしらすをバターの風味をまとわせて包み込んだしらすねぎオムレツやトマトアボカドサラダ、ポテトサラダ、おでん、おむすびなど。おひたし、胡麻和え、きんぴら、酢の物もよく見かける。

そこにあるのは、安心と信頼である。メニューをちらっと見ただけで、どんな料理か想像できるから、悩むことなくパパッと頼めるらくちんさ。そのどれもがきちんとおいしく、酒を進ませてくれる。この日、イカ里芋煮で静かにお銚子を傾けていた白髪のご老人は「こんなので飲ませてくれる店が少なくなった」とつぶやいていた。意外性や「○○映え」などが溢れるいまの世の中、普通の確かな味を淡々と届けてくれる酒場は、いまや貴重な存在なのかもしれない。

私もおひたしやポテサラ、納豆しらすなんかで、女将のつけてくれる燗酒を飲むのが好きなのだが、ぜひとも書き留めておかなければならない一品がある。「地だこぶつ」だ。このへんで地だこといえば、「佐島のたこ」が有名だが、『よしろう』では逗子の小坪揚がりのものが主で、ときに少し先の佐島、長井あたりの港からも仕入れているそうだ。私は、鎌倉に引っ越したばかりのころ、ひとに連れてきてもらったこの店で、地だこのおいしさを知った。噛めば噛むほどに広がる磯の風味と香り。それはもう格別なのである。

『よしろう』のたこぶつのファンです。そう伝えると、思いがけない話をしてくれた。

「たこがね、車に積んでいると鳴くのよね。水を吐くような感じで、ポコッ、ポコッと。なんだかかわいそうな気がしてきてたこに向かっていうの。私がきれいにして全部食べてあげるから成仏してねと」

たこの扱いは難しい。あの食感を活かすことがたこ料理の肝だが、硬すぎると台無し、柔らかすぎるのはもっとダメだ。そんな話を、和食の板前から聞いたことがある。だから、女将自ら漁港に出向き、生きたまま仕入れると知り驚いた。

「最初に頭をひっくり返して内臓をとるの。生殺しにならないよう一気にね。それから眼とクチバシをパチンと取り除いて、たっぷりの塩でしっかり揉み込む。たこのぬめりは取れにくいから洗濯機で回したりするらしいけど、かわいそうだから私はひたすら手で。いい子ね、いい子ねと声をかけながら揉むんです」

自分の手で命を絶つからこそのありがたみ。感謝して、無駄なく、すべて使い切る。お通しのところでもふれた料理哲学が、ここにも貫かれていた。

ささやかな自負

オープンから五年後、空いている昼間の時間を活用して『甘処あかね』を始める。

『よしろう』はいまでこそ、若い女性スタッフが数人手伝っているが、最初の十年は姫田さんひとりで切り盛りしていた。小さな店とはいえ、早い時間はおじさんたちで満席、遅めの時間になると仕事帰りの女性たちに食事をつくっていた。そのうえ、昼も店を開けるのはかなりハードだったのではないだろうか。

「夜だけの売上げだと手元にほとんど残らない。自分ひとりだったらそれでもなんとかできたかもしれないけれど、息子が大学受験を控えていてまとまったお金が必要だったんです」

子どものために少しでも稼ぎの足しがほしい。我が子の将来を思う母親はそう考えたのだ。甘味処にしたのは、つくり置いておけるものだったらひとに任せられるとの判断からだった。あずきを煮るくらいなら、プロに教わるツテもあるしやれそうだ。そうやって『甘処あかね』が誕生した。

しかし、現実は甘くなかった。最初に予測した売上げにはまったく届かなかった。

「結局、生活を切り詰めて、夜の収入でなんとかギリギリのお金をかき集められた感じ。それでも留学までさせてあげられて、親としての責任を果たせたかなと思う。教育を残すことができましたから。だって、子どもにお金を残したっていいことないじゃない？」

からりと笑うが、渦中の歳月はさぞかし苦労しただろう。甘味処はひとを雇って任せていた。店に用事があって立ち寄ると、その従業員がカウンターでうとうとしていることもあった。ヒマなのだから怒るに怒れなかったが、そうしている間も当然人件費が発生している。じりじりとした焦燥感だけが募り、預金通帳を開いてはため息ばかり。いつも頭にあるのは、従業員の給料と、ドイツに音楽留学している息子への仕送りだった。

あるとき、息子の友人の女性バイオリニストがドイツから帰国した折、『甘処あかね』を訪ねてきた。あずきを食べながら彼女はこう言った。「ママね、息子さんすごく頑張ってるのよ。だからお金を送ってあげてね」。ビザがなかったためバイトができなかった息子は、母親からの仕送りが頼りだった。

彼はいま人生をかけて夢を追っている。母親としてできるのは、彼の地で存分に学ぶための資金を送ってあげること。そんなことは重々わかっていた。でもそれができない辛さ。母親以上に切実なひとなどほかにいるわけがない。

風向きが変わったのは、『甘処あかね』が女性誌に大きく取り上げられてからだ。一誌が紹介すると、つぎつぎと取材依頼がきた。急に忙しくなり、従業員ひとりでは足りず、女将も昼の店に立った。横浜の百貨店から出店の打診があり、少しでも売上げになればと引き受けた。とはいえ、商品は甘味である。『よしろう』の狭い厨房でめいっぱいあずきを炊いても一〇〇個分が精一杯。ふたりがかりであずきを炊いて、パッケージして、夜中に積み込んで搬入して……。そんな大変な思いをしても、手にする金額はわずか。徒労感から、もうこんなことやめてしまおうと投げ出しそうになったこともあった。それでも続けたのは、従業員と息子のためだった。

正直に告白すると、お金の苦労など無縁なひとだと思っていた。高名な翻訳家の娘。上品な和服の着こなし。会話の端々に感じられる知性。ざっくばらんで飾らない性格も、かえってきちんとした家の出を思わせた。私の薄っぺらい洞察力に、姫田さんは笑って言った。

「だからさ、給料日にちゃんと払えると、ああよかったたってね。毎月毎月、そう思っていたのよ。その日のお客さまに、上機嫌で、今月も払えたのよって自慢してたくらい。いままで一度も遅れることなく支払えたことは自負です。きちんと払えた喜び、それは大きかった」

「女将さん道場」として

ひとりで『よしろう』を切り盛りして十年。息子はクラシックの音楽事務所に勤めるようになっていた。甘味処も安定してきたし、『よしろう』は相変わらずの忙しさ。金銭的にも精神的にも少し余裕の出てきた姫田さんは、私も少し楽してもいいかなと思うように。そんな折、『よしろう』で働いてみたいというひとが現れた。すぐ近くのバーでバイトをしていた二十代の女性で、たまに飲みに来ていた。そのときの、誰にでも平等に接する距離感や、クールな気遣いを見ていた女将は、いいパートナーになってくれるかもしれないと彼女を雇うことにした。

若くて器量よしの登場に、常連客たちはたいそう喜んだ。彼女の前に座りたくてやってくる若い男性客も増えた。「一杯どう？」とご馳走されることもたびたび。仕事ができるうえに、売上げに貢献してくれる彼女は、女将の頼もしい右腕となり、出産を機に辞めるまで四年以上、この店を支え続けた。

その彼女をはじめ、何人もの女性が『よしろう』を生活の糧にし、そして巣立っていった。姫田さんは女性たちの「働きたい」意志を可能な限り叶えたいと考えている。八年前に働いていた女性から突然電話がかかってきた。コロナで失業してしまったのだという。それ以上は言わなかったけれど、うちで働きたいということだろうと察し、「最初はなんにもいらないからやれるだけやってごらん」と甘味処を任せることにした。

またあるとき、昼のスタッフの三十代後半の独身女性が勤め先のひとつを失い、困っている様子だった。朝ごはんやってみる？　水を向けると「やります」との返事。七時からねと伝えた途端、「え、じゃあ週三回かな、週末だけでいいかな」と急に腰が引けた。「あなたね、商売は週末だけなんてことはないのよ。ここで食べていこうと思ったら毎日お店を開けないと。頑張っていればそのうちお客さまがついてくれるから」。鎌倉で二十五年以上商売を続けてきたひとの、リアルな実感だった。

結局その女性は、「朝ごはん」という名の店を三年近く続けた。炊きたてのごはんに味噌汁、焼き魚、『よしろう』の看板でもあるしらすねぎオムレツといった和食で勝負。だしのとりかた、オムレツのつくり方は姫田さん仕込みだ。鎌倉でちゃんとした和朝食が食べられると口コミで広がり、すぐに人気店になった。女将の助言を守り、毎日決まった時間にお店を開け続けたのがうまくいった要因に違いない。

女将の願い

朝は定食屋、昼は甘味処、夜は小料理屋。二毛作ならぬ三毛作を取り仕切るようになった姫田さんには、ひとつの願いがある。ここで働く女性にはそれぞれが自立した「女将」であってほしいということだ。

朝と昼は時給制ではなく、歩合制にしているのはそのためだ。時給だとひとが来ても来なくても同じバイト料が入る安心があるが、どんなに売上げても手取りは同じ。歩合制であれば、儲かれば儲かったぶん、自分の懐に入ってくる額が大きくなる。売上げが少なかったとしても支払うパーセンテージは同じだから、リスクも少ない。

提供するメニューも、金額も、来店してもらうための工夫も、すべて自分の裁量でできるしくみは、ある時間帯、間借りしているとはいえ、彼女たちに店主である自覚を芽生えさせるだろう。女将がその意識を育てているのだ。

「育てるとは思っていません。手助け、かな。だって私も苦しいときがあったから。それでもなんとか切り抜けてこられたのは、お客さまが来てくださったおかげ。今度は私がお返しする番です。若いひとたち、みんな最低賃金だったり、不安定な状況のなかで頑張ってくれている。だから少しでも安心して働ける環境をつくってあげたいと思うんです」

緊急事態宣言で休業を余儀なくされたとき、休んでいる間の給料を姫田さんは国の助成金を利用してメインのスタッフに払った。その制度は、申請の手続きが煩雑すぎて多くの雇用主がその面倒を負わなかったと聞く。姫田さんは三日がかりで認可をとりつけたそうだ。そんな必死の思いで自分たちの生活を守ろうとしてくれる雇用主を、彼女たちはどう受け取っているのだろう。

答えは、その仕事ぶりに表れている。女将がいちいち指示をしなくても、阿吽の呼吸でいますべきことを汲み取り、てきぱきと仕事をこなす姿を私はいつも見てきた。女将が料理に会話に忙しく立ち回っている間に、ぽっかり注文を忘れてしまっても大丈夫。客にわからないように「○○さんのおでん、お願いします」と耳打ちしている。頼りになる娘たちを得て、女将も誇らしげだ。

「ここまででいいじゃないという以上のことをみんなしてくれる。だから、こちらもしてあげたいと思うじゃない。その一生懸命に応えたいじゃない」

私はそんな力強い言葉を聞き、ちらちらと耳に入っていた風の噂は杞憂で済みそうだと少し安心した。

四十三歳で始めた『よしろう』は今年で二十六年を迎える。そろそろのれんを下ろすときがくるかもしれない。そんなさみしい話を、最初にここに連れてきてくれたひとから聞いていたのだ。もちろん、どんな店にも終わりはある。でも、姫田さんの意気込みからは、そろそろ幕引きという気配はまったく感じられなかった。

「……やめちゃうかもしれないですよ。でも、私がやめるというと……まず、朝ごはんの子が食べていかなくちゃいけないでしょ。お昼の子は失業して戻ってきたし、夜に入ってもらっている子たちも生活がある」

そして、ひと呼吸おいてから、こう続けた。

「この空間を借りているのは私だけど、この先もみんなでうまく利用できればいいなと思っています。それもそれぞれが自立した形でやれるのがいちばん。雇われていたほうが楽だという子もなかにはいるけど、自分で食べていける力をつけられたらいいねとよく話しています」

あるとき、甘味処を担当する女性が「今日は五〇〇〇円しか売上げがなかった」とさみしそうにしていた。姫田さんは勇気づけるように言葉をかけた。「よかったじゃない、あなたの人件費が出て」と。女将の考えはこうだ。「蓄えには回らなくても自分が働いたぶんはちゃんと出たのだから、今日のところはそれでよしとしよう」という発想の転換。あかねさん自身、そうやってしのいできたのだ。肝の据わった女将は、売上金に一喜一憂し、仕入れも恐る恐るしている彼女に助言した。

「あんまりちまちま考えていると、儲けまでちまちましちゃうよ」と。

商売の勘どころを突く至言だと思った。日々、働きながらそんなことを教えてもらえる彼女たちは幸せだ。女将から教わるすべてを血肉にしてほしいと私は願う。

『よしろう』にこの先、どんな物語が待っているか。まだ誰にもわからない。たぶん姫田さんも道の途上なのではないだろうか。いやもしかしたら、胸の内に決めていることがあるのかもしれない。そのどちらなのか、どちらでもないのか私にはわからない。でも、ひとつだけ見えている未来がある。この女将のもとで働いた女性たちは自分で食べていける力を蓄え、何があったとしても自力で生きる活路を切り拓いていけるに違いないということだ。

父姫田嘉男は生前、作家の高見順と親しかった。『よしろう』には、姫田さんが生まれたときに贈られたという直筆の詩『天』の一部が飾られている。そこにはこうある。

どの辺(へん)からが天であるか
鳶の飛んでいるあたりが天であるか
あかねさす空のあたりが天であるか
人の眼から隠れて
こゝに
静かに熟れてゆく果実がある

おゝ　その果実の周囲は既に天に属してゐる

ひとは生まれて、熟して、そして天になる。私たちはみな、天に向かって懸命に生きている。つまずいたり、挫けたりしながら、それでもあかねさす空へ向かって歩いている。歩いてゆけるのは、ひとりではないからだ。姫田さんがお客さまに支えられたというように、『よしろう』の女性たちが女将の寛大な懐を頼りにしてきたように。私たちは支え支えられ、生きている。

小町
よしろう

エピローグ　「自分の場所」をつくった女性たち

メニューのない店で

つばめの群れが、小さな港町を低く飛び交っていた。
色とりどりの野の花や植木が賑やかに飾られた軒先。猫が「今日も一パイやっちゃうかなー」と誘う白のれん。開け放たれた木戸からは、おいしい匂いとともに陽気な笑い声が漏れている。

何年もシャッターを下ろしたままの店や、更地になったと思ったら駐車場に変わってしまった歯抜けだらけのこのまちで、二十五年前からずっと灯りをともしてきた女将がいる。わがふるさと伊豆下田の居酒屋『賀楽太』の土屋佳代子さんだ。彼女のことをみんなが「かよちゃん」と呼ぶように、私もまたそう呼んでいる。かよちゃんと出会い、この店に通ううちに、女性が主として立つ「女将」という生き方に強く惹かれるようになった。

「ただいま〜」

「おかえり。待ってたよ〜。まぁ飲みな飲みな」

くるくるソバージュをひとつにまとめ、ベレー帽に割烹着、紅いルージュが華やかな女将は、私がカウンター席に腰を下ろすより早く、自分用に買ってあったと思われるスーパードライのロング缶を開け、勧めてくれた。

取材だと伝えてあったのに、「ほら、こんなもんでもつまんでな」と、しどけのおひたし、カラスに気をつけながら軒先に干したという背黒イワシの干物、掘りたてゆでたての筍煮をつぎつぎと差し出す。ぜんぶ地のもの。イワシは甥っ子の釣果で、筍もしどけも孫や姪と山で採ってきた戦利品とのこと。

「春は、里の味と磯の味、両方あって贅沢だら。しどけ、わらび、つわぶき、すいかんぽ、ふきのとう、明日葉、筍……。海は海藻がいいね。ひじき、わかめ、マイマイ、アラメ……。磯の新物はやわらかくてうまい。いまだけの味だね」

『賀楽太』にはメニューがない。毎日、地元の直売所や鮮魚店などをハシゴして旬のものを仕入れるだけでなく、古希を過ぎているというのが信じられない身の軽さで山に入り自ら収穫もする。「おれっちのたまねぎは甘めえぞ〜」「磯もんとってきたから使わねえけ」と、親衛隊の仲間たちからお宝もたんとやってくる。その日その日で手に入る食材が違えば、食べさせたい料理も変わってくる。お客の顔を見ながら即興でつくる料理もあるから、「書けない」のだという。

だから、ふらりと入ってきた初めてのお客には、「うちはメニューがないけどいい？　家庭料理だからきちんとしたものはないの。ほかにそういうお店はたくさんありますよ」なんて商売っ気のないことを言って促すが、常連たちが引き留める。「心配するな、ぼったくったりしねえから」「いやいや、ここは下田の良心さ」「かよちゃんの手料理、うめえぞ」と、港町らしい歓迎で、まあ座りなよと迎え入れてくれる。

木のぬくもりが心地よい席につけば、「おなかすいてる？」から始まる、めくるめく伊豆の旬づくし。初めて目にする地魚や貝類、そうか伊豆は山もゆたかなんだなーとしみじみする山菜やきのこ……に、最初は緊張気味だった観光客も、いつのまにか常連たちといっしょに笑っている。そして「シー・ユー・アゲイン！」と女将に見送られるころには、誰もがこの店のファンになっている。それが半島のはしっこ、ふるさと人情酒場『賀楽太』なのである。

私がそうだった。初めて訪れたのは十年ほど前のこと。つぎつぎと出てくる料理は、目の前に広がる海と里のみずみずしい味ばかり。鯵のタタキ、とこぶし煮、タカベの塩焼き、ひじきのサラダ、明日葉入りの餃子、そして締めには西伊豆の特産「潮かつお」をまぶしたお茶漬け。季節のふるさと便のようなあったかい味。それに、自分の母親と同じ年回りの女性が、ひとりで店を切り盛りし、ひと癖もふた癖もありそうな客たちを手料理と酒、そして洒脱な会話で楽しませている姿が新鮮だった。

以来、帰省のたびに寄るように。たいていはひとりだ。めぐる季節とともに、何年も通ううちに、なぜ自分はこのカウンターで酒を飲みたくなるのか、都会のひとたちがわざわざ遠くから何時間もかけてやってくるのか、その魅力の在り処がわかるようになってきた。

ここでしか味わえない旬と出会える喜びはもちろん大きい。でも『賀楽太』の魅力はそれだけじゃない。女将の人柄。客たちはみな、かよちゃんに会いたくて、あののれんをくぐるのではないだろうか。

以前、毎週末のように新幹線に飛び乗ってやってくるというキャリア女性は言っていた。「かよちゃん尼さんみたいだから、東京がしんどくなるといつも来てしまうんです」と。男だってつらいときがある。これはかよちゃんから聞いた話だが、人前で

涙を見せない働き盛りの男性が、嗚咽をもらして涙を流したことがあるという。「その子の話をそうかい、そうかいと聞いていていただけなんだけど。何か胸につかえていたものがあったんだろうねえ」

こんなこともあった。あるおじいさんが赤ら顔で入ってきて、私の隣りに座るなり「女がこんなところで酒を飲むとはけしからん」というようなことをろれつの回らない舌で向けてきた。ほかの客にも横柄な態度で話しかけ、みんなが不快な気分になる一歩手前というところで、女将が眉を吊り上げてぴしゃり。「あんたに飲ませる酒はないよ。私の店で勝手に座るんじゃない」。おじいさんはその後もなんだかんだと悪態をついて粘っていたが、酒が飲めないとあきらめて店を出ていった。

その毅然としたふるまいに、私は店の主としての矜持を見た。

かよちゃんには娘と息子、それに孫たちもいる。夫もいる。娘はときおり店を手伝っていて、息子は仲間たちとここのカウンターで飲んでいたりする。店内には昔の写真や親戚の子どもたちが描いた似顔絵、習字など、家族の思い出が詰まっていて、幸せな景色がよりいっそう、この店を居心地よくさせるのである。

でも私が『賀楽太』女将に惹かれるのは、そういう〝おふくろさん〟の要素ではない。その反対。自立したひとりの女性として生きる姿であり、母として妻としての役割をきちんと果たしながら、「自分の場所」をつくったところにある。

彼女たちが「自分の場所」をつくるまで

かよちゃんは終戦間もなくの一九四八年、下田の海沿いで生まれ育った。地元に就職。結婚後も働きながらふたりの子どもを育てた。仕事を終えて帰宅すると、ハイヒールを脱ぎ捨てて、スーツの上にエプロン。超特急で夕飯の支度にとりかかった。「今日のごはん、なあに?」「あと何秒でごはん?」。おなかをすかせた息子に聞かれると、いつもこう答えた。

「名前なんかないさぁ〜」

何料理と決めずに、毎日、新鮮な食材を買い求め、そこからどう料理するかを考え、献立を組み立てる。それがフリースタイルな『賀楽太』料理の原点となった。

四十五歳。子どもたちも独立し、二十六年勤めた会社を辞めると、「宿題を忘れたような何か物足りない気持ちに」なったという。

家庭を築くことも、子どもを育てることも、きっと大きな充実があるだろう。そこに幸せを感じ、満足する女性もいる。結婚、出産は、かつて「女性の幸せ」とされたロールモデルだ。しかし、独立心の強い彼女にとってそれはゴールではなかった。むしろ、男女雇用機会均等法が制定（一九八五年）され、女性のライフスタイルが多様化するなか、出産よりもキャリアを選ぶ女性、経済力を身につけて自由に生きる女性たちが登場していたころだ。新しい時代の風に、「人生の宿題がまだ残っている」と背中を押されたのではないだろうか。

そして、勤め人のしがらみや家庭から解放され、自分のやりたいことをやろうと、『賀楽太』という「自分の場所」をもったのである。

「自分の場所」を求めたのは、本書に登場してくれた女将全員にいえることだ。

私は、二〇一七年秋に『おじさん酒場』という本を書いた。これは、古くて渋い居酒屋で酒を飲むことを趣味とする自分が、あちこちの酒場で出会った独特でいとおしいおじさんとのエピソードを、店の魅力とともに綴ったものである。おじさんほど酒場が似合うキャラクターを私はほかに知らない。おじさんがひとり、年季の入ったカウンターでお銚子を傾けている。ただそれだけで絵になるのはいったいどうしてだろう。古い酒場が似合う女になりたい私は、ちょっぴりの嫉妬心を隠しながら、酒場のおじさん観察に励んだものだった。

その取材経験も含めて、ふだんから足が向く居心地のよい店には、女性店主が少なくなかった。本篇でふれたとおり、飲食の世界で「女将」というと、料理をするのは親方だったり板前だったり、別にいることが多い。オーナーはほかにいて、店を任されているというケースもある。だけど、私がひとりで訪れても心から満たされるのは、女将自身が経営者で、酒も料理もそのひとが選び、つくっている「女将さん酒場」だ。彼女たちは、料理人であり、店の主である。

なぜ自分は、店主としての女将に惹かれるのだろうか。「女将さん酒場」で心のびやかになれるのだろうか。

前著でも、何軒か女将さん酒場を取り上げたのだが、そのときの主役は客側のおじさんたちだった。いまになって思えば、私はそのころから、自分の経済力で店を構え、ひと筋縄ではいかない客商売で身を立てる覚悟を決め、日々、奮闘する女性たちに強い関心を抱いてきた。関心というより、さまざまなリスクを怖れずに「自分の場所」を確立している、あるいはしようとしている彼女たちへの敬意と深い共感が、ずっと胸にあったのだ。

開拓者としての女将

飲食の世界は、いまだに男社会だ。外食産業に従事する女性は、男女比で約六〇％

（日本フードサービス協会調べ）と多いのに、女性料理人はまだまだ少数派。オーナーシェフとなると、その数はさらに限定される。料理界に女性が少ないのは、その道のキャリアを積んでも、妊娠、出産、育児という大事業を前に、仕事との両立を断念せざるを得ないためである。職場に託児所があるわけでも、育児休暇が取りやすい環境でもないからだ。長時間労働で力仕事も多いハードな労働であることも影響しているだろう。

いまこの国で、女性が自分の店をもつのは非常にハードルが高い。だから、料理が好き、食のまわりで仕事がしたいという女性たちは、自分で店をやりたいという夢を封印して、どこかの飲食店の調理スタッフとして働いたり、料理研究家になるなど別の道を歩み始める。

それほど厳しい世界で、女将として自分で店を構えること、さらには「続けていくこと」――ができるのは、ほんのひと握りに違いない。

本書に登場する一三人の女将は、二〇一九年秋にオープンした『あゆみ食堂』の大塩あゆ美さんと、昭和六年から続いた大衆酒場『はりや』ののれんを受け継いだ荘司美幸さんのふたり以外、短くても七年以上、続けているひとたちだ。最長は、田中悦子さんの『さかなのさけ』。大阪時代も含めると三十四年だ。姫田あかねさんの『よしろう』が二十六年。林佐和さんの『やくみや』が十九年（ゴールデン街時代含む）。越野美喜子さんの『こしの』が十五年。

『フジミドウ』の渡邊マリコさんは、二度の挫折を乗り越えて、歩みを止めなかった勇敢な女将である。

『さかなのさけ』の田中さんは言っていた。「いちばん辛かったこと？　それは秘密。二番めも内緒です。話せるのは、一〇個めぐらいからかなあ」。清明な瞳で微笑むその奥に、他人には悟られたくない苦労や哀しみがあることを知った。

少女のころに父親を亡くし、大好きだった姉も三十代のうちに喪ったと打ち明けてくれたのは、『賀楽太』の土屋佳代子さんだった。当時勤めていた会社の研修で出かけた地方で姉の死を知った彼女は、どうしようもない悲しみに、胸のボタンを引きちぎりながら帰ったという。

ある年の冬。凍える寒さの日に、通りで読経をとなえていた若い僧侶と出会う。店に迎え入れると、素足にわら草履の指先はしもやけで真っ赤になっていた。あたたかい食事で労いながら、話を聞く。彼は東日本大震災の翌四月から、鎮魂と復興を祈り、被災地を回っているという。当時二十八歳だった。心を打たれた女将は以来、毎年冬に彼らが托鉢に訪れるときには、向かいの旅館に宿をとり、食事を提供するようになった。「それも御先祖さまや父母の供養になればと思ってね」。十年、続いている交流だ。

こうしたエピソードは、女将たちが語ってくれたことのごく一部である。語られることのなかった過去、黙って耐えた日々もあっただろう。

「結婚とか出産とか考えると、おいそれと店なんかできません」と『ぼたん』の金岡由美さんが言っていたように、一三人の女将たちはみな、男性ばかりの土俵で勝負する覚悟をもっていた。

覚悟の決まった女性は格好いい。『あめつち』の土井美穂さんは、いいことも悪いこともすべて自分で引き受けたいと独立を決意した。コロナ禍で経営維持のため、ネット通販を始める飲食店も多かったが、大塩さんは、「私が大切にしたいのは、目の前のお客さまにできたての料理を食べていただくこと」との信念を貫き、店でもてなす料理に磨きをかけている。

さらに、「自分の場所」を構えた女将のなかには、そこを拠点に地域のため、生産者のため、環境のためにと行動を起こすひとも少なくなかった。『ＤＩＬＬ』の山戸ユカさんは、持続可能な循環型レストランを実現するため、キッチンで使用するものは環境負荷の低いものに切り替え、コンポストを導入。自家発電によるオフグリットな店づくりを模索している。また、インフルエンサーとしての情報発信にも余念がない。

『ししまい』の宮代とよ子さんは、地域の仲間たちとプラスチック包装ゼロにこだわったオーガニックな「ししまいマルシェ」を立ち上げ、ゼロ・ウェイスト（ゴミをゼロに削減する運動）な暮らしを大磯から世界へ広げていこうと取り組んでいる。

『はりや』の荘司美幸さんは、自分の店が地域のコミュニティになればと、子育て中のママや若い女性など、これまであまり酒場になじみのなかったひとたちのために、その間口を広げようと知恵を絞っている。

そして『おおはま』の大濱幸恵さんは、酒の提供ができなくなった今年のゴールデンウィーク期間、開封した日本酒が飲み手不在のまま劣化していくのは造り手にも、お酒にも申し訳ないと、「日本酒チャリティー」を企画。アルコールのテイクアウト販売は禁止されているため、募金箱を設置し、日本酒を応援するための「寄付」を募った。趣旨に賛同し、募金を寄せてくれたひとに、その日本酒を持ち帰ってもらうというしくみ。四日間で一〇万円以上集まり、全額を医療福祉従事者への基金に寄付した。

山戸さんのことを私は「行動する女将」と書いたが、期せずして私が選んだ女将たちはみな行動派だった。コロナ禍が彼女たちの意識を動かした部分は大きいとは思うが、自粛生活のせめてもの彩りになればとテイクアウトを充実させたり、店のレシピを公開したり。逆に「いつもどおり」に営業することで、常連たちの居場所を守った女将もいる。それもひとつの「行動」だ。

女将さん酒場は、私たちの物語

この取材を開始したのは、二〇一九年春。当時はもちろん、世の中がこんなふうに様変わりするとは誰も想像できなかっただろう。飲みたいときに、ふらりと好きな酒場ののれんをくぐり、一杯やる。女将と他愛もない話をしながら、季節の料理をつまむ。酒飲みにとって、そんな当たり前の日常が失われてしまってもう一年以上になる。取材は、コロナ以前に終えていたものも一部あるが、大半は、コロナ禍のなかで行った。結果的に、その両方が混在して収録されることになったが、彼女たちが大切にしている根幹はまったくブレることはなかった。

「ひとりひとりの願いを叶えることで、記憶に残る料理をつくれたら」（林佐和『やくみや』）

「来てくれたお客さまみんなが楽しく幸せな気持ちになってもらいたい」（渡邊マリ

コ『fujimi do 243』）

「持続可能な循環型レストランの実践を通して、地域に、世界にその輪を広げていきたい」（山戸ユカ『DILL eat, life.』）

「私にできるのは、目の前のひとのために一生懸命料理をつくること。その積み重ねがひとを元気にすることにつながるのだと思う」（大塩あゆ美『あゆみ食堂』）

「思い出の曲の記憶が、そのひとにとって永遠であるように、私は一杯のラーメンで永遠を表現したい」（宮代とよ子『ししまい』）

「お酒と料理を楽しんでいただきながら、リアルなひととひとのつながりをつくれる場所でありたい」（金岡由美『ぼたん』）

「さまざまな方との出会いに活力をいただきながら、最後まで自立した人生を送りたい。お客さまの喜ぶ顔が私の元気の源」（越野美喜子『こしの』）

「飲食業は、「食」を通じてひとと社会とつながる多幸感がある。季節を感じる野菜と、純米酒のおいしさをこの先もずっと届けていきたい」（土井美穂『あめつち』）

「お客さまの食べて飲んで元気になる姿を見られるのがいちばんの幸せ。私の料理を喜んでくださる方に会いたいからやめられない。まだまだ頑張るぞ〜」（田中悦子『さかなのさけ』）

「ひとり飲みの女性も、子育て中のママも。もちろん男性方にも。みんなが居場所と思える酒場に育てたい」（荘司美幸『はりや』）
「居酒屋は明日の活力をつくる場所。おいしいお酒と料理で、一生懸命生きている女性たちをこれからも応援したい。心に灯りをともせる店でありたい」（大濱幸恵『おはま』）
「たくさんのお客さまに支えられていまがある。今度は私がお返しをする番。ここを守ることでひとの役に立つことができればこれ以上嬉しいことはない」（姫田あかね『よしろう』）
「ひとに食べてもらいたい、喜んでもらいたい。それが原点だね」（土屋佳代子『賀楽太』）

彼女たちは、何のために仕事をしているのか、努力して手にした「自分の場所」を通じて、何がしたいのか、何を伝えたいのか、改めて見つめ直したに違いない。そのうえで残った信念は、飲食の世界で生きていこうと決めた初心とひとつも変わらなかった。つまり、彼女たちは「ひとが元気になれる場所」「誰かを幸せにできる場所」のために女将という生き方を選んだのだった。

私は一三人、一三様の生きざまを書き終えたいま、ようやく自分がしようとしていたことの輪郭が見えてきたような気がしている。

ひとつには、既存の概念にとらわれない、「新しい女将」像をつくること。和食、居酒屋、小料理屋、大衆酒場、イタリア料理、ラーメン屋、オーガニックレストラン、食堂と、ジャンルも年齢（三十代〜七十代）もさまざまな女性店主を「女将」として人選したのは、型にはまらないユニークで、独立心旺盛な女将たちを世に届けたいという気持ちからだった。和服で男性にお酌するようなステレオタイプの女将像を打ち破りたかったからでもある。

もうひとつは、さまざまなタイプの女将の生き方を通して、働く女性たちへのエールになればという思い。

女将さん酒場には、彼女たちの人生そのものがあった。何のためにこの仕事をしているのか、目的がはっきりしているひとの店には、料理、酒、店に流れる空気、そして本人の働きぶりから、その志が伝わってくる。その魂にふれながら飲む酒のなんと清々しいことか。心の入った料理にどれだけ元気をもらったことだろう。

さらに、私はこうも思う。女将さん酒場は、すべての女性の「生」につながっているのではないかと。

女将の誇り、喜び、幸せ、野心、不安、反骨、葛藤、後悔、孤独……そうした感情は、誰の心にも湧き起こる。

だから、女将さん酒場は、私たちの物語でもあるのだ。

生きていくことと仕事をすることは分かちがたく結びついている。その当たり前のことを、料理で生きることを選んだ女将たちは明るく照らしてくれた。いまも私の胸には、その笑顔、真剣なまなざし、凜とした背中が、残像のように輝いている。

おわりに

女性を書きたいとずっと思ってきた。

自分で仕事をつくり、自立して生きる女性の生きざまを。

私のまわりには、自らの感性と才能、そしてなみなみならぬ努力によって、「自分の場所」を獲得し、いきいきと輝く女性たちがたくさんいる。

その一方で、進むべき道が見つからず、暗中模索している女性もいる。こうしたいという思いはあっても、パートナーとの関係や子育てなどさまざまな要因で飛び出せない女性もいる。私のようにひとりで生きていて、将来を不安に思う女性もいる。

「自分の場所」をもてた女性たちにだって、悩みや葛藤はある。

私たちは対岸にいるのではない。同じ岸辺に立って、それぞれに自分が拠って立てる何かを探しているのだ。

いまという時代を生きるすべての女性に、この本を捧げたい。一三人の女将の奮闘ぶりに、私自身、触発され、励まされたように、彼女たちのひたむきさや明るさが、一歩を踏み出す勇気につながることを願っている。

ご登場いただいた女将さんたち。忙しい仕事の合間をぬって大切なお話を聞かせてくださり、ありがとうございました。ひとりひとりと過ごした時間は、この先も私の宝です。五年、十年、いやもっと。これからもみなさんを追いかけていきます。

前著『おじさん酒場』の文庫化も含め、本書を世に送り出してくださった筑摩書房の永田士郎さん、編集の今井章博さん、ありがとうございました。よきアドバイザー、あたたかなサポートのおかげで最後まで走り抜けることができました。

『おじさん酒場』と『女将さん酒場』の両方を、尊敬する装幀家の緒方修一さんにデザインしていただけたことは身に余る光栄です。素敵な〝顔〟に恥じぬよう、これからも書き手として精進します。

最後に、表紙のモデルを務めてくれた『おおはま』の大濱幸恵さん。そして、その写真を撮り下ろしてくれたフォトグラファーの一井りょうさん。ふたりの朋友がいなければ自分が描きたかった「新しい女将像」は完成しませんでした。心からの感謝を。

二〇二一年初夏　　　山田真由美

女将さん酒場一覧

林佐和
1971年生まれ。千葉出身。
2003年、新宿ゴールデン街にオープン。2007年秋、荒木町に移転。
やくみや
東京都新宿区荒木町1-2 なかばやしビル2階
03(6781)1875

渡邊マリコ
1972年生まれ。東京都出身。
2018年オープン。
fujimi do 243
東京都目黒区原町1-3-15
電話なし　問い合わせはFacebook

山戸ユカ
1976年生まれ。東京都出身。
2013年オープン。
DILL eat, life.
山梨県北杜市長坂町大井ケ森984-6
0551(45)7512

大塩あゆ美
1986年生まれ。静岡県出身。
2019年オープン。
あゆみ食堂
長野県諏訪市元町5-12
0266(75)2720

宮代とよ子
1970年生まれ。神奈川県出身。
2012年オープン。
らーめんかふぇ　ししまい
神奈川県中郡大磯町西小磯757
0463(67)0306

金岡由美
1979年生まれ。千葉県出身。
2014年オープン。
酒と肴　ぼたん
東京都江東区白河2-9-2
070(6474)4139

越野美喜子
1963年生まれ。佐賀県出身。
2006年オープン。
食べものや　こしの
東京都渋谷区道玄坂2-16-19 都路ビル1階
03(3770)9888

土井美穂
1968年生まれ。大阪府出身。
2013年オープン。
あめつち
東京都目黒区中町1-35-7
03(3712)1806

田中悦子
1956年生まれ。東京都出身。
1987年、大阪にてオープン。2004年現店に移転。
さかなのさけ
東京都港区六本木3-8-3 遠藤ビル1階　※2021年内に移転予定
03(3408)6383

荘司美幸
1968年生まれ。東京都出身。
昭和から85年続いた両親の大衆酒場を受け継ぎ、2018年にリニューアルオープン。
はりや
東京都墨田区墨田2-9-11
03(6657)5359

大濱幸恵
1976年生まれ。愛媛県出身。
2010年、阿佐ヶ谷にてオープン。
2014年現店に移転。
旬の菜と旨い酒　おおはま
神奈川県鎌倉市御成町4-15
0467(38)5221

姫田あかね
1952年生まれ。神奈川県出身。
1995年オープン。
よしろう
神奈川県鎌倉市小町2-10-10 榎本ビル1階
0467(23)0667

土屋佳代子
1948年生まれ。静岡県出身。
1996年オープン。
賀楽太
静岡県下田市1-20-20
0558(27)2312

掲載情報は2021年6月時点です。変更が生じている可能性があります。

本書は、ちくま文庫オリジナルです。
写真　一井りょう（335p）
　　　著者撮影（本文中）

清酒
久礼
創業天明元年
高知県中土佐町

ちくま文庫

女将さん酒場

二〇二一年八月十日　第一刷発行

著　者　山田真由美（やまだ・まゆみ）

発行者　喜入冬子

発行所　株式会社　筑摩書房
東京都台東区蔵前二―五―三　〒一一一―八七五五
電話番号　〇三―五六八七―二六〇一（代表）

装幀者　安野光雅

印刷所　凸版印刷株式会社

製本所　凸版印刷株式会社

ISBN978-4-480-43758-7　C0195